JUNG
E O CAMINHO DA INDIVIDUAÇÃO

Murray Stein

JUNG
E O CAMINHO DA INDIVIDUAÇÃO
— Uma Introdução Concisa —

Tradução
Euclides Luiz Calloni

Editora
Cultrix
SÃO PAULO

Título do original: *The Principle of Individuation*.

Copyright © 2015 Chiron Publications.

Publicado mediante acordo com a Chiron Publications LLC, Asheville, NC.

Copyright da edição brasileira © 2020 Editora Pensamento-Cultrix Ltda.

1ª edição 2020. / 3ª reimpressão 2024.

Todos os direitos reservados. Nenhuma parte desta obra pode ser reproduzida ou usada de qualquer forma ou por qualquer meio, eletrônico ou mecânico, inclusive fotocópias, gravações ou sistema de armazenamento em banco de dados, sem permissão por escrito, exceto nos casos de trechos curtos citados em resenhas críticas ou artigos de revistas.

A Editora Cultrix não se responsabiliza por eventuais mudanças ocorridas nos endereços convencionais ou eletrônicos citados neste livro.

Os excertos dos textos abaixo foram reproduzidos com permissão:

Athanassakis, Apostolos. *The Homeric Hymns*, p. 24. © 1976 The Johns Hopkins University Press. Reproduzido com permissão da The Johns Hopkins University Press.

Memories, Dreams, Reflections (*Memórias, Sonhos, Reflexões*), de C. C. Jung, organizado por Aniela Jaffé, traduzido por Richard e Clara Winston, copyright © 1961,1962, 1963 e renovado em 1989, 1990, 1991 pela Random House, Inc. Usado com permissão da Pantheon Books, uma divisão da Random House, Inc.

Reproduzido com permissão da HarperCollins Publishers Ltd. © 1963 C. G. Jung.

The Odyssey of Homer, de Richmond Lattimore, copyright © 1965, 1967 Richmond Lattimore. Reproduzido com permissão da HarperCollins Publishers.

Editor: Adilson Silva Ramachandra
Gerente editorial: Roseli de S. Ferraz
Preparação de originais: Alessandra Miranda de Sá
Produção editorial: Indiara Faria Kayo
Editoração eletrônica: Mauricio Pareja Silva
Revisão: Claudete Agua de Melo
Capa: Lucas Campos / INDIE 6 Design Editorial

Dados Internacionais de Catalogação na Publicação (CIP)
(Câmara Brasileira do Livro, SP, Brasil)

Stein, Murray
    Jung e o caminho da individuação : uma introdução concisa / Murray Stein ; tradução Euclides Luiz Calloni. — São Paulo : Cultrix, 2020.

Título original: The principle of individuation
Bibliografia.
ISBN 978-85-316-1555-9
1. Consciência 2. Individuação (Psicologia) I. Título.

19-31385	CDD-155.2

Índices para catálogo sistemático:
1. Individuação : Psicologia 155.2
Cibele Maria Dias — Bibliotecária — CRB-8/9427

Direitos de tradução para a língua portuguesa adquiridos com exclusividade pela EDITORA PENSAMENTO-CULTRIX LTDA., que se reserva a propriedade literária desta tradução.
Rua Dr. Mário Vicente, 368 — 04270-000 — São Paulo, SP
Fone: (11) 2066-9000
http://www.editoracultrix.com.br
E-mail: atendimento@editoracultrix.com.br
Foi feito o depósito legal.

Para os meus amigos.
Eles muito me ajudaram a compreender
o significado interior da individuação.

SUMÁRIO

AGRADECIMENTOS 9

INTRODUÇÃO 11

CAPÍTULO UM
O Duplo Movimento da Individuação 17

CAPÍTULO DOIS
A Função da Experiência Numinosa na Individuação 41

CAPÍTULO TRÊS
Um Conto de Iniciação e Individuação Plena 69

CAPÍTULO QUATRO
Quebra do Encantamento 89

CAPÍTULO CINCO
O Confronto com os Complexos — Pessoais e Culturais 97

CAPÍTULO SEIS
Um Espaço para a Individuação 125

CAPÍTULO SETE
Contribuição para o Processo de Individuação da Tradição 147

CAPÍTULO OITO
Individuação e a Política das Nações 165

NOTAS 177
REFERÊNCIAS BIBLIOGRÁFICAS 191
ÍNDICE REMISSIVO 199

AGRADECIMENTOS

Pelo apoio e ajuda que recebi com leituras e comentários sobre vários capítulos do livro à medida que sua composição avançava no decorrer de alguns anos, sou profundamente agradecido a Ann Casement, Lionel Corbett, Danila Crespi, Dale Kushner, Eleonora Lehr, Don McNair, Jan Marlan, Robert Moore, Andrew Samuels e Robin van Löben Sels. Meu colega na Chiron, Nathan Schwartz-Salant, foi um incentivador persistente, como sempre. Minha esposa, Jan, tem sido paciente e indulgente, tolerando as incontáveis horas que passo na frente do computador. Gostaria de agradecer também a Emmanuel Kennedy pelo convite para participar do Simpósio no Clube Psicológico de Zurique em 2005. Essa oportunidade deu novo impulso a este projeto, e o ensaio lá apresentado constitui a base do capítulo inicial. Em sua maioria, os capítulos foram publicados em outros meios sob formas diversas, mas passaram por rigorosa revisão para este formato.

INTRODUÇÃO

As pessoas não criam sua personalidade deliberadamente, escolhendo uma identidade ou caráter específico, assim como não modelam seu físico selecionando uma compleição, um tamanho de pé ou de mão, ou uma combinação peculiar de traços faciais. Do mesmo modo, as comunidades humanas não desenvolvem suas preferências e formas culturais de maneira consciente e racional. Quase tudo o que caracteriza os indivíduos e as comunidades deriva da interação de fatores e determinantes históricos — tempo e lugar de origem, herança genética e cultural. Além disso, é preciso acrescentar as inúmeras sincronicidades que acompanham indivíduos e grupos ao longo de sua breve ou longuíssima vida. James Baldwin descreveu essa realidade com muita precisão: "[...] infelizmente, as pessoas não podem inventar tábuas de salvação, amores e amigos, do mesmo modo que não conseguem inventar os pais. É a vida que dá e também tira essas coisas, e a grande dificuldade é dizer Sim à vida".

A isso é preciso acrescentar: elas também não conseguem inventar sua identidade ou estilos de personalidade. No fim, quem somos como indivíduos acaba sendo uma rede complexa de componentes diversos reunidos em um "objeto" psicológico chamado *self* (ou si-mesmo), possui uma identidade consciente específica e uma combinação entremeada de conteúdos inconscientes. O *opus* humano — a obra que nós, como indivíduos e até certo ponto como comunidades, *podemos* realizar e sobre a qual *podemos* exercer influência positiva — consiste em tomar consciência do que nos é dado, quer proceda da biologia, da história pessoal ou coletiva, ou do incessantemente criativo inconsciente, e em desenvolver o que recebemos da melhor maneira possível. Assim fazendo, também contribuímos com uma dimensão da existência que não existia até esse momento, a dimensão da consciência. Sigo aqui a perspectiva de C. G. Jung, que considerava essa tomada de consciência como a contribuição humana ao universo.[1]

O tema principal a ser examinado neste livro é o princípio de individuação e sua relação com o esforço de tornar-se consciente e desenvolver a consciência. *Principium individuationis* é uma expressão com um histórico longo e complexo na filosofia (da Idade Média a Leibniz, Locke e Schopenhauer), posteriormente retomada por C. G. Jung e aplicada com enorme significado em sua teoria psicológica. Como conceito psicológico, trata-se de uma ferramenta com duas funções primordiais: primeira, oferece um modo de compreender e interpretar mudanças na psique individual e coletiva; segunda, sugere um método para aumentar e desenvolver a consciência humana ao seu máximo e pleno potencial.

Como força dinâmica, a individuação remete à tendência inata — uma energia, um impulso ou, como direi em algumas passagens, um imperativo — de um ser vivo encarnar-se por completo, tornar-se verdadeiramente ele mesmo no mundo empírico do tempo e do espaço e, no caso dos seres humanos, a tomar consciência de quem e do que são. A natureza da individualidade humana e seu desenvolvimento rumo a uma consciência maior são assuntos de grande complexidade, constituindo-se dois dos grandes temas da psicologia profunda. A psicologia junguiana comporta uma ampla estrutura de ideias e hipóteses teóricas interconexas que possibilitam a definição da realidade psicológica. No meu livro anterior, *Jung's Map of the*

Soul,* apresentei inúmeras dessas estruturas básicas. Neste livro, passo do mapa à jornada, abordando a questão do desenvolvimento da consciência, uma ideia arquetípica por si só e que ocupa posição central não só na psicologia atual, mas também na espiritualidade, na historiografia, na biologia e em muitos outros campos científicos e humanísticos.

Na psicologia junguiana, o processo de individuação não se restringe a uma descrição básica do modo como um indivíduo toma forma e substância ao longo da infância e da juventude, vivenciando então essa personalidade construída na idade adulta. Essa construção é praticamente o acúmulo de formações biogenéticas e psicogenéticas e de influências culturais. Limitada a isso, a individuação quase se identificaria com a filosofia do individualismo. Mas não; a individuação impele a consciência e a autorrealização para além do limiar em que os processos de desenvolvimento normal regulados pelos genes, pela psique e pela sociedade cessam de atuar. Na verdade, de várias maneiras, ela é o exato oposto do individualismo, apesar de poder assemelhar-se a ele nos estágios iniciais e de conter alguns dos seus aspectos. De modo mais significativo, porém, a individuação é uma disciplina psicológica que exige a participação integral da pessoa consciente para fazê-la progredir. Em essência, ela procura levar o ego-consciência para fora e para além de suas características e hábitos pessoais estabelecidos e de atitudes culturais assimiladas (isto é, caráter e "personalidade"), objetivando um horizonte muito mais amplo de autocompreensão e plenitude, um horizonte que é impessoal e beira o que muitas vezes chamamos de *anima mundi*. A individuação produz uma extensão da consciência que vai além do pessoal e alcança o arquetípico ou não pessoal. Jung a denominava um *opus contra naturam*.

Assim como a psicanálise freudiana, a psicologia junguiana procura superar a repressão e elevar o aspecto sombra da personalida-

---

* *Jung — O Mapa da Alma*, publicado pela Editora Cultrix, São Paulo, 2000.

de individual ao nível da consciência, e também suprimir o refrão comum do ego como centro estável e privilegiado do universo psíquico. Ultrapassando a psicanálise, entretanto, ela também se empenha em estabelecer uma comunicação ininterrupta com o que Jung chamava de espírito do inconsciente coletivo. Esse é um nível mais profundo da alma do que revelam as visões da psicologia do ego. Uma tentativa tão radical requer um trabalho psicológico árduo. Seu objetivo último é a conscientização e a integração dos níveis somático, psicológico e espiritual do ser nos níveis individual e coletivo. Para participar desse imenso projeto humano, o indivíduo é estimulado a integrar algumas figuras e dinâmicas do inconsciente coletivo a uma identidade consciente flexível que não reprime polaridades psíquicas inerentes para sustentar a si mesma, mas sim para incluir figuras e energias que emergem continuamente das profundezas da psique. A individuação é um processo dinâmico e permanente.

Neste pequeno livro, até onde possível, procuro esclarecer esse processo e discorrer sobre a individuação como princípio. Ou seja, vejo esse processo como um modo de identificar padrões de desenvolvimento no movimento contínuo de mudança no fluxo de consciência. Ao mesmo tempo, ele oferece um método para aprofundar e enriquecer o anseio inerente da psique de se inserir no tempo. Naturalmente, como todas as chamadas demandas instintivas feitas ao ego, esse processo pode ser evitado, negado, reprimido ou ainda relegado a uma condição de irritação mais branda que por vezes se torna tão premente, a ponto de se ter de lhe oferecer um sacrifício voluntário ou até mesmo forçado. A negação do imperativo da individuação tem um preço, porém, e às vezes é este que se torna o fator mais importante na vida de uma pessoa.

Vou examinar também a aplicação do princípio de individuação a uma tradição religiosa e às relações políticas entre culturas. Em outras palavras, questiono se entidades coletivas e organizações também estão sujeitas ao princípio de individuação à medida que avançam no tempo e entram em contato com o "outro". Essa é uma tarefa árdua a cumprir, e estou inteiramente ciente de sua complexidade. A minha percepção é de que o conceito junguiano particular de evolução psicológica de longa duração na psique humana, isto é, a individuação, pode ajudar na reflexão sobre o desenvolvimento da consciência em muitos níveis de especificidade e generalidade — o nível psicológico pessoal, o sociocultural, o religioso e o político, este incluindo as dimensões de relações internacionais, economia e globalização.

Meu foco principal, todavia, continua sendo a pessoa individual. No primeiro capítulo, explicito a noção de princípio de individuação e seu método, descrevendo suas características básicas e seus dois grandes movimentos ou fases: a analítica e a sintética. No segundo capítulo, examino a função da experiência numinosa no processo de individuação e faço distinção entre individuação psicológica, desenvolvimento espiritual e jornada religiosa rumo à união com Deus. No terceiro capítulo, sirvo-me de um conto pouco conhecido dos Irmãos Grimm, "A Serpente Branca", com o objetivo de mostrar a importância da iniciação para a individuação e comentar algumas características específicas da jornada da individuação. O quarto capítulo se concentra mais especificamente na psicologia feminina, partindo de outro conto dos Irmãos Grimm, "A Velha do Bosque", para analisar a importância da conscientização de estados de possessão como parte do processo de individuação.

No quinto capítulo, recorro à mitologia grega, concentrando-me no deus aleijado Hefesto (Hefaístos; Vulcano para os latinos) como figura representativa da luta com complexos pessoais e culturais que devem ser trabalhados para liberar a criatividade e se alcançar o objetivo da individuação. O sexto capítulo descreve um tipo especial de espaço psíquico que possibilita à personalidade em processo de individuação levar o trabalho a um nível mais profundo. Para falar sobre isso, invoco o deus grego Hermes, cujo mitologema orienta a caminhada. Em seguida, no capítulo sete, especulo sobre como os indivíduos podem ajudar as tradições a avançar para um maior desenvolvimento e a realizar seu potencial para a consciência coletiva. Por fim, o capítulo oito é dedicado a algumas observações sobre as fascinantes dinâmicas em desenvolvimento entre as variadíssimas culturas das Américas do Norte e do Sul, enquanto o mundo encolhe e os padrões culturais tendem a se congregar para dar origem a novas estruturas em meio à confusão e ao caos geral.

Em tudo isso, desejo enfatizar que a psicologia junguiana é prospectiva. Embora para fins analíticos se deva também efetuar um exame rigoroso e minucioso do passado, a teoria em si está em perfeita sintonia com os conflitos do presente e o potencial para o futuro. A individuação é um imperativo que nos impele à frente e, se bem-sucedida, livra-nos da cilada da repetição interminável dos padrões que nos condicionam. A convicção fundamental é que os seres humanos estão evoluindo em consciência, individual e coletivamente, e que podemos participar desse processo e fornecer-lhe energia de formas bem específicas, bastando apenas saber como fazê-lo. Com essa finalidade, embora eu não tenha receitas prontas para dar, espero oferecer vislumbres que poderão ser de grande proveito.

1

O Duplo Movimento da Individuação

Em 1957, em uma entrevista conduzida pelo psicólogo norte-americano Carl Rogers, o filósofo Martin Buber expôs um equívoco comum relacionado ao conceito de individuação de Carl Jung. Na conversa, testemunhada por centenas de alunos na Universidade de Michigan, Buber questionou vigorosamente o uso que Rogers fazia do termo "pessoa" e em seguida passou a explicitar sua discordância com relação a Jung:

> Você fala sobre pessoas, e o conceito de "pessoa", ao que parece, está muito próximo do conceito de "indivíduo". Penso ser aconselhável fazer distinção entre eles. Um indivíduo é apenas certa singularidade de um ser humano. [...] Isso é o que Jung denomina "individuação". [...] ele pode se tornar mais e mais um indivíduo, sem que isso o torne mais e mais *humano*. Tenho inúmeros exemplos de homens que se tornaram muito, muito individuais, muito distintos de outros, muito desenvolvidos em sua *peculiaridade*, sem ser de modo algum

o que eu gostaria de chamar de homem. [...] Uma pessoa, eu diria, é apenas o indivíduo que vive de fato com o mundo [...] e, com o mundo, não quero dizer *no* mundo, mas sim *em contato real,* em *reciprocidade real* com o mundo em todos os pontos em que o mundo pode encontrar o homem. [...] Sou *contra* indivíduos e *a favor* de pessoas.[1]

Buber interpretou erroneamente o conceito de individuação de Jung, considerando-o uma simples afirmação e aprofundamento de determinada estrutura de caráter ao longo do tempo.

Longe de representar o tipo de entrincheiramento psíquico de que Buber fala aqui, o projeto de individuação apresentado por Jung em centenas de escritos é muito mais complexo e tem em essência o objetivo de lançar luz sobre a escuridão da vida psicológica, além de integrar as várias polaridades e tensões que nela se encontram. Em termos bem mais simples, trata-se de um projeto voltado para o despertar e o desenvolvimento da consciência. A implicação aqui é estabelecer uma relação consciente com os vários aspectos da personalidade, não por meio de uma identificação ainda maior com as características mais evidentes, como Buber gostaria, mas mantendo todas elas na consciência, o máximo possível, precisamente sem essa identificação. Na verdade, esse projeto segue exatamente na direção oposta ao que Buber entende por individuação na passagem citada acima. A vigorosa ênfase que ele atribui ao contato com o mundo, no que ele denominou e ficou conhecido como relação Eu-Tu,[2] não é em absoluto excluída pela individuação, conforme demonstrarei. De fato, o processo de individuação possibilita ainda mais essa espécie de relação, se comparado a outros procedimentos. Como o texto e os exemplos comprovarão, a relação Eu-Tu inclui-se na individuação, embora não do modo exclusivamente exteriorizado descrito por Buber em seus escritos.

Sustentarei que o projeto de individuação, tarefa a ser realizada durante a vida inteira, na verdade tem como fundamento um imperativo psicológico inato que, quer se queira ou não, procura aumentar a consciência. Saúde e desenvolvimento não são opcionais na esfera psicológica, assim como não o são na esfera física. A psique tem exigências próprias, do mesmo modo que o soma tem as suas, também específicas. Sem dúvida, alguém pode optar pela doença, física ou psicológica, e muitos fazem essa escolha, levados por razões complexas que estão além do entendimento deles mesmos.

Segundo a concepção de Jung e a explicação que darei neste capítulo, o processo de individuação em adultos[3] se desdobra em dois movimentos principais. O primeiro consiste em decompor o inconsciente por meio da análise. Os alquimistas o teriam chamado de *separatio*: a separação de uma mescla de elementos. A separação analítica inclui a dissociação tanto de identidades que o indivíduo criou com figuras e conteúdos cuja base principal encontra-se na realidade exterior à psique (isto é, outras pessoas e objetos) quanto daquelas fixadas de início na própria psique (as chamadas figuras internas, sobre as quais falarei mais adiante). Esse movimento de desidentificação leva à criação de uma consciência mais lúcida, um espelho cristalino.

O segundo movimento, que se manifesta em simultâneo, exige que se preste atenção meticulosa e contínua à emergência de imagens arquetípicas do inconsciente coletivo quando estas surgem em sonhos, na imaginação ativa e em acontecimentos sincronísticos. Esse movimento consiste em inserir esse novo material nos padrões de funcionamento consciente e da vida diária. Trata-se de um movimento sintético (em terminologia alquímica, *coniunctio*) que pode ser considerado um cuidadoso serviço ao espírito do inconsciente e à integração consciente de seus conteúdos. Ambos os movimentos são de importância decisiva, e a individuação não tem condições de chegar a seu potencial pleno sem um ou outro.

Por um lado, portanto, a individuação requer que separemos as peças da teia emaranhada de motivos e de partes do self que constituem a psique e que tornemos essas partes mais claras — em outras palavras, que lutemos contra nosso caráter e tomemos certa distância dele. Por outro lado, ela requer que deixemos características recém-emergentes da psique chegar à consciência e que as integremos em um novo todo. Em síntese, significa abarcar potencialmente todas as facetas do Self com certo grau de aceitação e respeito. O que a psicologia junguiana oferece é um método para manter os paradoxos da psique na consciência e chegar a um entendimento de suas complexidades.

O Movimento Analítico (Separatio)

Vou começar com o aspecto analítico da individuação. Em resposta a uma pergunta sobre a experiência do *atman* (o Self), Jung respondeu:

> O que a análise faz [...] é em primeiro lugar uma redução. É analisar a sua atitude. Você precisa se conscientizar de muitas resistências e conteúdos pessoais que reprimem sua atividade mental genuína ou seus processos psicológicos. Todas essas inibições significam muitas e muitas impurezas, e você precisa purificar a mente antes que o processo psicológico de transformação possa começar.[4]

O primeiro movimento da individuação se dirige à purificação da psique em relação às identificações inconscientes. Isso significa redução.

Para começar, ofereço uma breve introdução histórica ao conceito de individuação de Jung. A fundamentação é filosófica e psicológica ao mesmo tempo.

Uma das primeiras ocorrências do termo "individuação" nas obras de Jung encontra-se em um texto muito incomum do ano de 1916 com o título latino *Septem Sermones ad Mortuos* [Sete Sermões aos Mortos].[5] Em geral acredita-se que essa obra contenha a primeira versão da teoria psicológica da individuação de Jung, apesar de sua forma mística e filosófica. Como explica Jung no clássico *Memórias, Sonhos, Reflexões*, o conteúdo desse texto chegou-lhe em uma espécie de estado de transe e lhe foi "ditado" por alguém chamado Basílides de Alexandria. A obra se apresentou ao longo de vários dias, durante um período de trabalho interior mais intenso (os anos de "confronto com o inconsciente", como se refere a esse período em *Memórias, Sonhos, Reflexões*), cujos resultados foram registrados no famoso *O Livro Vermelho*.[6]

Em *Septem Sermones*, Basílides afirma que o *principium individuationis* é a essência da *creatura* e distingue a *creatura* do *pleroma*. Para o ser humano individual (isto é, a *creatura*/criatura), é uma questão de vida e morte tornar-se separado e distinto:

> Qual é o dano, perguntareis, em não diferenciar a si mesmo? Se não nos diferenciamos, vamos além da nossa natureza, afastamo-nos da *creatura*. Caímos em um estado de indiferenciação, que é a outra qualidade do pleroma. Caímos no próprio pleroma e deixamos de ser criaturas. Entregamo-nos à dissolução no nada. O resultado é a morte da criatura. Morremos, portanto, na medida em que não nos diferenciamos. Daí o empenho natural da criatura em orientar-se para a diferenciação, em lutar contra o antigo e perigoso estado de igualdade. A isso dá-se o nome de PRINCIPIUM INDIVIDUATIONIS. Esse princípio é a essência da criatura. Disso podeis deduzir por que a indiferenciação e a não distinção constituem um grande perigo para a criatura.[7]

Em suma, o princípio de individuação define algo essencial a respeito do ser humano. É um impulso absolutamente fundamental no sujeito humano para se diferenciar do que está ao redor. Isso é individuação, pelo menos em parte, e a energia para sua criação é um postulado da consciência humana. Ao se tornar uma pessoa, o indivíduo deve necessariamente criar distinções e separação. O impulso para criar especificidade na consciência humana, para tornar-se quem ou o que o indivíduo é de modo natural, está radicado na natureza. A busca pela individuação, portanto, é congruente com a natureza humana. O movimento para a individuação não é opcional, não é condicional, não está sujeito a caprichos de diferenças culturais. É um axioma, embora por certo muitas pessoas o ignorem, o reprimam e se debatam em tentativas tortuosas para não admitir sua presença, por medo de parecer inconformistas ou de ser vistas como "diferentes".

O *pleroma*, em comparação com o indivíduo (*creatura*), é Tudo e Nada. Ele contém cada uma das "qualidades" psicológicas possíveis, mas sem distinção ou separação das outras. Ele é a *materia* psíquica primal, a Grande Mãe, a matriz da qual emergirá tudo o que pode se tornar consciente. O princípio fundamental do *pleroma* é a inclusão indistinta. Fora dele, supervisionando-o e opondo-se a ele, está a consciência emergente do indivíduo singular, cuja natureza essencial é diferenciação e cujo impulso mais básico é alcançar a consciência individual, isto é, um senso de unicidade, para o que se exige separação e a permanente ação de fazer distinções entre o Eu e o não Eu: não isto, não aquilo, mas alguma outra coisa, algo separado e único. No percurso para chegar a esse ponto, a pessoa descobre (ou talvez cria) o paradoxo da complexidade, isto é, os opostos psicológicos.

Pares opostos de qualidades são criados à medida que se fazem distinções: em cima/embaixo, adiante/atrás, beleza/feiura, macho/fêmea, bem/mal, tempo/espaço, e assim por diante. Ao obter visibilidade e clareza, esses pares solicitam identificação e preferência.

A pessoa individual é levada a se identificar com um dos lados do par e a se manter distante do outro. Assim, ela chega ao primeiro estágio de definição, em que o self e o outro passam a existir como um par de opostos. E cria-se a sombra. Aqui nasce também a ilusão da diferenciação, pois embora esse seja um passo em direção à individuação, esta ainda não se realizou, uma vez que as qualidades identificadas são coletivas. Continuamos diante de alguém que não é um indivíduo, pois este ainda precisa emergir.

Esse estágio inicial do processo de individuação baseia-se na formação de um estado de identidade psicológica com certas qualidades que ficaram separadas do estado pleromático. Assim, uma "personalidade" e um "caráter" um tanto distintos, mas ainda coletivos, passam a existir. Podemos lembrar aqui o que Erik Erikson descreve como formação da identidade durante a adolescência. A *persona* psicossocial é marcada e assumida como forma de adaptação às exigências específicas de determinado ambiente cultural. Mais tarde, no entanto, em geral em torno da meia-idade, a individuação exige que a pessoa se separe das qualidades coletivas com as quais se identificou, pois:

As qualidades pertencem ao pleroma, e somente em nome e em sinal da distinção podemos e devemos possuí-las ou vivenciá-las. Devemos distinguir-nos das qualidades. No pleroma, elas estão em equilíbrio e se anulam; em nós, não. Diferenciando-nos delas, nos libertamos.[8]

Assim, a tarefa de separação continua, mas agora em nível muito mais profundo. A consciência então empenha-se em criar uma distinção entre o indivíduo e as qualidades que haviam sido assimiladas como sendo o self, que tinham se tornado os apegos, valores e convicções mais fundamentais da pessoa. A exigência imperativa da individuação é voltar à própria natureza, ao próprio ser verdadeiro

("Portanto, não é pela diferenciação, como pensais, que deveis lutar, mas sim pelo VOSSO PRÓPRIO SER"[9]). Essa busca do próprio ser individual é uma tarefa ingente e continua pelo resto da vida.

Em 1916, em uma conferência para a Associação de Psicologia Analítica, Jung retoma esse mesmo tema da individuação e seu significado, mas então de forma psicológica menos mitopoética e mais prosaica. Em alemão, esse trabalho recebeu o título "Über das Unbewusste und seine Inhalte", traduzido para o inglês como "The Structure of the Unconscious"[10] [A Estrutura do Inconsciente]. Pela primeira vez, ele desenvolve a noção de *persona* e o modo como ela se constrói como uma "negociação", um acordo entre o indivíduo e o coletivo. A *persona* é construída, diz Jung, de porções do coletivo com as quais o ego se identifica e que funcionam para facilitar a adaptação ao mundo social circundante. A *persona* é efetivamente um "segmento da psique coletiva",[11] mas ela imita a individualidade. Sua existência pode ser, portanto, uma sutil inimiga da individuação, caso não se a conscientize como "máscara": "Os seres humanos possuem uma faculdade que, embora seja da maior utilidade para propósitos coletivos, é sumamente perniciosa para a individuação; trata-se da faculdade da imitação".[12] Essa é também a base para o recrutamento de soldados e de jovens terroristas. Eles são induzidos a imitar os grandes heróis, sob promessas de funerais com honras militares caso venham a perder a vida em combate.

É precisamente essa tendência à imitação em vez de à individuação que levou Jung a uma atitude tão negativa perante a perspectiva de institutos e programas de treinamento criados em seu nome e ao estudo da Psicologia Analítica. "Graças a Deus sou Jung, e não um junguiano" é uma de suas afirmações mais famosas — um indício de sua visão preconceituosa de pessoas que formam uma mera *persona* identificando-se com as ideias e os métodos dele, porém negligenciando o trabalho interior exigido pelo imperativo da individuação. A consequência disso só podem ser milhares de máscaras vazias, julgava ele, mediante as quais suas ideias originais podiam ser transformadas em estereótipos e receitas. Conta Joseph Wheelwright que, quando comunicou a Jung a elaboração de um programa de treinamento em São Francisco, Jung o olhou como "se tivesse sido atropelado por um caminhão Mack, e eu disse: 'Vejo que você não quer mesmo ouvir falar sobre isso'. Ele disse: 'Para dizer a verdade, Wheelwright, não me ocorre nenhum outro tema sobre o qual eu menos gostaria de ouvir'".[13] Jung era visivelmente alérgico a imitadores. Sem dúvida, é preciso agradecer pelo fato de que essa não tem sido a regra, pois as pessoas estudam os métodos de Jung e se submetem a análises de treinamento.

Deve-se ter muito presente, por outro lado, que a formação de apegos inconscientes e a criação de laços baseados na identificação com pessoas importantes no ambiente imediato do indivíduo são aspectos bastante normais do desenvolvimento psicológico. Os bebês se apegam às mães e entram em um estado de identidade com seus cuidadores próximos. Esse processo tem um fundamento arquetípico e constitui uma forma básica de comunicação entre mãe e bebê através de canais inconscientes, o que induz empatia e mutualidade entre eles (ver a excelente análise de Jean Knox sobre as associações entre a teoria do apego e a teoria arquetípica). O bebê pode sinalizar uma necessidade ou sentimento para a mãe de modo não verbal, sinal que a mãe recebe e registra em virtude do seu profundo apego ao bebê. Esse vínculo começa *in utero*, por meio de uma sutil sintonia da mãe com o feto. Mais tarde, a criança vai formar relações semelhantes com outros membros da família e por fim com integrantes da vizinhança, da tribo, da escola, da cidade e da nação.

Com todos esses elementos ambientais, a pessoa em desenvolvimento introduz-se no que Jung, seguindo o sociólogo francês Lucien Lévy-Bruhl, chamou de *participation mystique* [participação mística]. Com a instauração dessa espécie de identidade humana, a atitude psíquica coletiva assume uma voz, expressa a si mesma. Quando alguém se torna um bom cidadão, um filho ou uma filha dedicados, um membro devotado da igreja, da escola e do Estado, um empregado de confiança, um marido ou esposa, pai ou mãe, um profissional ético, as pessoas sentem que podem confiar nessa pessoa e desse modo dedicar-lhe seus mais elevados sentimentos de estima. Pessoas assim falam com clareza pela família, pela comunidade, pelo país e mesmo por toda a humanidade, mas não por elas mesmas. Se indivíduos que adotaram *personas* leais e firmes assim permanecem inconscientes de sua verdadeira individualidade, essa individualidade mantém-se desconhecida, e eles se tornam meros porta-vozes para as atitudes coletivas com as quais se identificam. Embora isso possa servir aos interesses de uma pessoa até certo ponto — porque, afinal de contas, todos precisam se adaptar à sociedade e à cultura, e porque uma *persona* bem construída é uma vantagem evidente para propósitos práticos de sobrevivência e sucesso social —, esse não é, sem dúvida nenhuma, o objetivo da individuação. Trata-se apenas de um ponto de parada para então iniciar o processo de individuação.

De modo compreensível, as pessoas são tentadas a se deter nesse ponto, pois não é nada fácil criar uma *persona* agradável, cortês e eficiente. Dando por concluída a tarefa de desenvolvimento psicológico, depois de obter uma identidade social e de estabelecer um adequado padrão de vida em tempo e lugar determinados, por que não relaxar e saborear os frutos dos próprios esforços? Jung, porém, encerrou sua palestra de 1916 afirmando que a individuação é um "princípio que possibilita, e *se necessário determina*, a diferenciação progressiva com relação à psique coletiva".[14] A individuação é uma força da natureza, tão intensa e persistente na visão de Jung quanto o instinto da sexualidade e a vontade de poder (potência), de modo que a opção de decidir interromper o desenvolvimento psicológico e repousar sobre os lauréis da adaptação alcançada simplesmente não existe. Se não for escolhido de maneira consciente, o impulso para a individuação produzirá distorções bizarras ao longo de uma vida, pois ele insiste na individualidade nos lugares mais inesperados e nos momentos mais inconvenientes. Jung via esse tipo de conflito como uma fonte típica de neurose e infelicidade na segunda metade da vida.

Ao mesmo tempo em que compunha os dois textos que venho citando, Jung também trabalhava em *Tipos Psicológicos*,[15] um estudo que ele iniciou na época de seu rompimento com Freud, em torno de 1913, mas que só concluiu e publicou em 1921. *Tipos Psicológicos* é um volume extenso que expõe a teoria de diferenças comuns no modo como as pessoas encaram as experiências e interpretam o mundo fenomênico, sendo a representação das percepções e da compreensão psicológica acumulada de Jung até aquela data. No capítulo final, ele define "individuação" como "um processo de diferenciação que tem por objetivo o desenvolvimento da personalidade individual".[16] Em contraposição a esse conceito está o fenômeno psicológico da "identidade":

[...] característica da mentalidade primitiva e o verdadeiro fundamento da *participation mystique*, que é [...] um resquício da indiferenciação original de sujeito e objeto [...] uma característica do estado mental da primeira infância, e [...] do inconsciente do adulto civilizado que, enquanto não se torna um conteúdo da consciência, continua em um estado permanente de identidade com objetos.[17]

A identidade, diz ele, "depende da possibilidade de projeção e introjeção".[18] Por essa afirmação podemos concluir que Jung considerava a individuação um processo de toda uma vida, consistindo em remover e trazer à consciência uma imensa quantidade de material inconsciente — todas as introjeções e identificações que compõem a identidade inconsciente com objetos e pessoas que se acumularam durante toda a vida. O imperativo à individuação, portanto, nunca chega a um remanso definitivo em que se possa dizer: "Acabou-se". Trata--se de uma obra contínua que nunca chega ao fim, nunca se conclui.

Se a identificação com os elementos pessoais que compõem a *persona* é um impedimento à individuação, por um lado, outro obstáculo, talvez ainda mais difícil de superar (porque é mais sutil), é a identificação com figuras arquetípicas do inconsciente coletivo. Ao longo de sua autoanálise, Jung descobriu a gravidade dessa segunda ameaça à individuação. Depois de analisada e decomposta a *persona*, afirmou ele na palestra de 1916 acima mencionada, as imagens do inconsciente coletivo afloram e se põem à disposição para identificação. (Deve-se acrescentar que isso também pode acontecer se uma pessoa deixou de formar previamente uma *persona* psicossocial adaptada de maneira adequada, de modo que, por necessidade compensatória, seria criada uma *persona* plasmada em imagens arquetípicas grandiosas como o herói, o salvador, o demônio etc. O filme *Don Juan DeMarco*, com Johnny Depp e Marlon Brando, expõe essa realidade com brilhantismo.)

Se uma pessoa sucumbe a essa tentação, o resultado é uma inflação psicológica (um estado de exaltação que Jung denomina "personalidade mana"). Essa pessoa se convence de que é um profeta ou um sábio, um herói cultural ou um amante demoníaco, uma Grande Mãe ou Pai, ou alguma outra figura de natureza mitológica, criando-se uma identidade com base em um conteúdo psicológico arquetípico. Para Jung, um exemplo convincente e preciso dessa condição foi o caso de Nietzsche, que se identificou e "inflou" com a figura arquetípica de Zaratustra.[19] Mas essa nova identidade se baseia e situa no coletivo tanto quanto os elementos que constituem uma *persona* psicossocial comum, e sua formação opõe-se do mesmo modo à individualidade e ao processo de individuação. Para fins de individuação, a identidade com figuras que procedem do inconsciente coletivo deve ser analisada com tanto rigor quanto a identidade com a *persona* psicossocial. Se uma pessoa deixa de fazer isso, o resultado são ilusões de grandeza. Por certo, às vezes essas identidades arquetípicas criam efeitos poderosos no ambiente, por exemplo, no caso de Joana D'Arc, que se identificou com um heroico *animus* salvador. Do mesmo modo, mulheres que não conseguem se livrar da identificação com o poderoso arquétipo da mãe continuam nutrindo compulsivamente durante toda a vida, sendo incapazes de se separar de filhos e netos e de deixar que tenham a própria vida e a própria identidade.

Foi essa ameaça à individuação que Jung enfrentou depois de romper com Freud e abandonar a *persona* do psicanalista, primeiro presidente da Associação Psicanalítica Internacional, editor do *Jahrbuch* e professor universitário. À época, ele tinha sido arrastado para o mundo das imagens arquetípicas e entrara em um período da vida ao qual mais tarde, em *Memórias, Sonhos, Reflexões*, referiu-se com a seguinte expressão: "Confronto com o inconsciente". Na época, a tarefa da individuação para ele consistiu em diferenciar sua personalidade singular das imagens arquetípicas que se apresentavam como substitutos da individualidade.

A estrutura psicológica que se comunica com o inconsciente coletivo interno, correspondendo à *persona* que se comunica com o mundo coletivo social externo, é a *anima/animus*. Precisamente então (em 1916), Jung começava a identificar esse fator, ao qual mais tarde chamaria de "sizígia".[20] O perigo, como Jung parece tê-lo pressentido na época, era o de se identificar com as imagens oferecidas por essa figura inconsciente, no caso dele chegando-lhe como a voz interior de uma mulher: Você é um grande Artista em potencial! Você é um Gênio notável, embora incompreendido! Você é o grande Herói Siegfried disfarçado! Você é um Salvador cujo tempo de autorrevelação está se aproximando! Você é o Deus Mitraico Aion etc. Assumir esse tipo de identidade ilusória é fatal para a individuação, como Jung declara com clareza em um seminário em 1925:

> Quanto mais essas imagens chegam a você e não são compreendidas, mais você está na sociedade dos deuses ou, se preferir, na sociedade dos lunáticos; você não está mais na

sociedade humana, pois não consegue exprimir-se. Só quando você pode dizer: "Esta imagem é assim e assado", você está na sociedade humana. Qualquer pessoa pode ser apanhada por essas coisas e se perder nelas — algumas desperdiçam a experiência dizendo que é tudo tolice, perdendo assim o que é mais valioso, pois essas são as imagens criativas. Outra pode identificar-se com as imagens e tornar-se excêntrica ou tola.[21]

. Assim, ele teve de rejeitar a oferta de identidades como essas e manter-se alicerçado em sua vida suíça como uma pessoa comum do século XX com uma história particular. Os arquétipos são a-históricos e atemporais, e identificar-se com eles é perder as raízes específicas de cada um no tempo e no espaço. Como imagens psíquicas universais, elas representam os aspectos gerais e ideais da existência.

A lição para Jung nesse caso foi que a obra de individuação, que, como vimos antes, é um imperativo psicológico, exige análise redutiva em duas frentes: no que se refere à *persona*, ela consiste no fato de o indivíduo diferenciar-se da *persona* psicossocial e dissolver a identidade que se formou ao longo do tempo na história pessoal; no que se refere à sigízia, ela exige que o indivíduo se diferencie das imagens e fantasias arquetípicas que emergem e propõem identificação grandiosa como compensação pelo que se perdeu com a análise da *persona*.

Em uma passagem importante no ensaio de 1916 que venho citando, Jung define o que ele entende por "individualidade":

A psique coletiva deve ser contraposta ao [...] conceito de *individualidade*. O indivíduo se situa, digamos assim, entre a parte consciente e a parte inconsciente da psique coletiva. Ele é a *superfície refletora* em que o mundo da consciência pode perceber a própria imagem histórica, inconsciente, assim como Schopenhauer diz que o intelecto serve de espelho para a Vontade universal. Assim sendo, o indivíduo seria um ponto de interseção ou uma linha divisória, nem consciente nem inconsciente, mas um pouco de ambos.[22]

Pode-se imaginar esse aspecto do processo de individuação, portanto, como a transformação de um quadro a óleo em um espelho, quando então o observador percebe que os conteúdos representados na tela não são permanentes, mas temporários. Eles podem aparecer e desaparecer, dependendo do que a situação exigir. Isso provoca uma alteração na percepção que vê através de identidades fixas, sendo capaz de deixá-las entrar e sair do campo visual sem se prender a elas e sem tentar transformar em característica permanente uma cena que se reflete na consciência apenas temporariamente. O ato de distinguir entre consciência e imagens oferecidas pela sizígia (*anima/animus*), por um lado, e identidade da *persona* social, por outro, dá origem a um espelho que pode refletir com mais precisão tudo o que passa diante dele. Como consequência, haverá muito menos projeção e distorção na consciência, sendo os objetos vistos com mais clareza e as relações com eles definidas pelo que esses objetos são de fato. Relacionamentos íntimos autênticos, Eu-Tu, tornam-se então possíveis.

*O Movimento Sintético (*Coniunctio*)*

Em torno dos meus 45 anos de idade, uma mulher 25 anos mais velha do que eu me procurou e perguntou se eu podia ser seu analista. Não esqueci suas palavras em nossa primeira sessão: "Desde jovem, quando minha mãe procurou Jung para fazer uma análise, guardei na memória o que ela me falou. Ela disse que podemos continuar nos desenvolvendo durante a vida toda. Jung disse isso a ela. É por isso que sou junguiana e quero entrar em análise agora, mesmo na minha idade avançada".

Aceitei ser o analista de Sara,[23] e trabalhamos de modo intermitente por cerca de quinze anos, até em torno dos seus 85 anos de idade. Morávamos a algumas centenas de quilômetros de distância, e ela vinha me ver várias vezes por ano, durante uma semana, quando então nos encontrávamos todos os dias. O que aconteceu foi que ela realmente continuou a se desenvolver durante esse tempo. Ela me ensinou que o imperativo da individuação é incessante e que essa tarefa é interminável.

Como o processo de individuação implica a remoção de muitas camadas da *persona* e o desmonte da identidade, caberia muito bem a pergunta: então, o que se desenvolve? Afinal, nós, analistas, somos chamados em geral de "encolhedores de cabeças" (*shrink*, gíria para psiquiatra), e não "agricultores" ou "jardineiros"! Até aqui falei apenas em redução e limpeza do espelho da consciência. Poder-se-ia considerar esse estado como uma espécie de variante budista da individuação, em que o objetivo do projeto é o vazio e a vacuidade. Ocorreu também que, quando entrou em análise e começou a refletir ativamente sobre sua história e a analisar seus padrões e identificações, Sara passou a se desprender de sua *persona* e ser menos governada pelo seu *animus*. Em certo sentido, seu tamanho psicológico diminuiu, pelo menos em algumas de suas dimensões. Trata-se de uma espécie de crescimento negativo, se você preferir assim. Ela precisou encarar a crise da perda de confiança em uma identidade social muito desenvolvida e requintada, além de não poder confiar muito em suas opiniões e convicções insondadas como "professora" e "especialista" em tantos assuntos (sua identidade *animus*). Em meio a esses traços e características de personalidade, ela descobriu a sombra. A análise foi um choque. À medida que a pintura fixa e indelével foi aos poucos se transformando em espelho refletor, vazio e impessoal, no início ela se sentiu instável e hesitante.

Em meu livro *In MidLife*, em que descrevo a possível transformação da consciência na meia-idade, denomino esse estado "liminaridade". A liminaridade é uma característica inevitável da transformação sempre que esta ocorre na vida. O termo se refere a um período, às vezes equivalente a anos, de incertezas, de identidades fixas vivendo em uma espécie de "território neutro", flutuando no espaço sem muito sentido de direção. Mas, à medida que o espelho se desanuvia, também a pessoa pode se ver com mais nitidez e talvez pela primeira vez, do que resulta um novo centro de gravidade e estabilidade. A descoberta de que o equilíbrio interno não depende de conteúdos e atitudes fixos é um aspecto importante do crescimento que ocorre durante a individuação. Significa, sobretudo, integração da sombra e percepção ampliada de si mesmo, ou seja, constatação e reconhecimento das limitações do caráter e dos próprios defeitos, como também admiração diante das características favoráveis que se manifestam de quando em quando.

Na medida em que a pessoa se liberta das identidades induzidas pela *persona* e pela sizígia, também se livra da repetição compulsiva de padrões do passado. Essas identidades são formações que expressam uma história longa e complicada, e a ansiosa adesão do ego a elas impede novo crescimento da personalidade e uma experiência de vida mais ampla. Nesse ponto da análise, Sara percebeu com mais clareza seus limites pessoais imediatos porque já não se projetava tanto nos outros, tornando-se assim uma personalidade mais definida, com capacidade de agir com base na liberdade recém-conquistada. Ela podia dizer "sim" e "não" com mais certeza e clareza. Por exemplo, ela passou parte de sua herança para os filhos, mas também, sem se sentir culpada, reservou-se o suficiente para viver bem pelo resto da vida. Ela podia afirmar-se entre amigos e familiares sem precisar viver em um estado de confusão entre dar de mais e dar de menos.

Quando a pessoa se liberta do passado e vive mais plenamente no presente, ela tem condições de prestar mais atenção ao inconsciente, pois ele é relevante para o agora. O grande *insight* de Jung sobre a relação do inconsciente com a consciência foi que o inconsciente não é apenas a presença do passado sempre à espreita no presente, como Freud havia pensado — na forma de conteúdo reprimido de antigos complexos, traumas, sexualidade infantil etc. —, mas também a presença ativa de um espírito vivo e em progressão no aqui e agora. O que chega à visão quando a pessoa apreende essa dinâmica torna-se decisivamente útil para orientar-se no presente e no futuro.

Na conferência de 1916 citada anteriormente, Jung se refere à descoberta do que ele chama "linha da vida": "Estou convencido de que se alcança a verdadeira meta da análise quando o paciente adquire um conhecimento adequado dos métodos mediante os quais pode manter contato com o inconsciente, chegando ele a uma compreensão psicológica suficiente para discernir a *direção de sua linha da vida no momento*".[24] A expressão "linha da vida" já sugere o que Jung mais tarde chamaria de orientação prospectiva do inconsciente. No entanto, ele faz questão de distinguir a linha da vida do conceito de "ficções orientadoras" de Adler, que considera demasiado fixas e restritivas.[25] A linha da vida é uma construção mais fluida, que a pessoa faz no momento, tendo o mérito de indicar a "direção das correntes da libido"[26] ao fluir do presente para um futuro possível. As correntes da libido são ativas e estão em constante alteração e mudança. A linha da vida oferece uma ideia, porém, do que pode estar se desdobrando e para onde a libido está se dirigindo.

Essa orientação para o futuro se tornou crucial para o pensamento de Jung sobre o inconsciente. O inconsciente não só contém o passado, mas também antecipa o futuro. Ele é criador e ao mesmo tempo conservador. Esse equilíbrio, ou tensão, de forças expressa a complexidade central da individuação. O imperativo para a individuação significa não somente criar um espelho de consciência que se liberta significativamente de identidades passadas, mas também mover-se em direção ao que emerge e reclama isso como destino pessoal do indivíduo. A individuação é movimento psíquico.

Pode-se conceber essa dinâmica do seguinte modo. Como seres humanos ativos, estamos imersos em uma vasta e às vezes turbulenta torrente de acontecimentos e experiências que nos envolve todos os dias, desde o nascimento, e muitas vezes ameaça nos engolfar. Dessa torrente de experiências da vida mais ou menos fortuita e desorganizada, em parte consciente, em parte inconscientemente, selecionamos as que são mais significativas para nós, deixando muitas outras seguirem seu fluxo para o mar. À medida que nos tornamos mais conscientes e autorreflexivos, procuramos padrões no mundo e em nós mesmos para chegar a certo grau de orientação. Também estabelecemos e somos moldados por padrões psicológicos ao alcançar uma estrutura de caráter por meio de nossas identidades e hábitos. Incluídos na profusão de dados que se apresentam à consciência enquanto procuramos descobrir um padrão e uma ordem, encontram-se não só sensações e percepções, mas também sonhos noturnos, fantasias e devaneios. A isso somam-se ainda certas imagens e enredos semi-inconscientes que podemos vislumbrar ao cruzarem nossa mente ao longo do dia.

Às vezes ocorrem coincidências estranhas, surpreendendo-nos e parecendo misteriosamente significativas. Elas bloqueiam nosso caminho ou então abrem o que pareciam portas fechadas. No centro de nosso mundo consciente está o complexo do ego, registrando dados, reagindo a estímulos, agindo e contendo, iniciando e respondendo, calculando e planejando, alegrando-se e sofrendo. Jung chama o ego de "personificação relativamente constante do inconsciente".[27] Essa é a base do espelho. Emoções, acontecimentos, pessoas, pensamentos, palavras, imagens, lembranças, expectativas, esperanças, medos — isso tudo constitui o que William James denominava "fluxo de consciência" —, conteúdo que o ego registra e até certo ponto grava, identificando-se com ele. Jung teve o cuidado de chamar o centro do campo da consciência de complexo do ego porque esse centro não é consciente. Ele constitui o espaço mais íntimo e individual que conhecemos, sendo, no entanto, um obscuro mistério por si só: "luz fora e escuridão dentro".[28] Nós o consideramos a individualidade em si, o cerne de nosso ser único. Não obstante, seu fundamento não é consciente e, portanto, é inacessível à imediata percepção introspectiva. Ele está radicado na sombra, embora esta também faça parte de nossa individualidade.

Uma "assimilação de conteúdos inconscientes"[29] deve, pois, ocorrer para que a individualidade se revele em sua plenitude. Para isso, o ego precisa renunciar ao controle sobre os conteúdos da consciência em favor de um processo que não está sob sua total direção: "A assimilação dos conteúdos inconscientes leva [...] a uma condição em que se exclui a intenção consciente, sendo esta suplantada por um processo de desenvolvimento que nos parece irracional. Esse processo por si só significa individuação, e seu produto é a individualidade [...] particular e universal ao mesmo tempo".[30] Esse ato de transferência do controle para um processo irracional, portanto, é o grande passo seguinte no caminho da individuação.

Jung descreve como colocar em ação esse processo irracional de desenvolvimento em outro ensaio escrito em 1916, sob o título "A Função Transcendente". A função transcendente "surge da união de conteúdos conscientes e inconscientes"[31] e por isso representa um quadro mais completo de toda a psique e da individualidade, em comparação àquele que pode ser obtido pelo complexo do ego por meio da própria reflexão introspectiva e do inventário do que surge no espelho da consciência. O principal método para criar a função transcendente é a imaginação ativa, que Jung descreve pela primeira vez nesse texto. A função da imaginação ativa é alçar ao nível da consciência imagens e fantasias inconscientes que estão em ação nos bastidores do complexo do ego. Elas podem então se refletir no espelho e ser observadas.

Jung descobriu que, para criar a função transcendente, as imagens geradas por meio da imaginação ativa são mais coerentes e úteis do que os sonhos.[32] Na imaginação ativa, inicia-se um diálogo entre aspectos conscientes e inconscientes da psique em que ora um, ora outro,[33] toma a iniciativa, até formar-se uma "terceira coisa", que representa a união das duas partes.[34] Essa é a função transcendente, que "se manifesta como qualidade de opostos conjugados".[35] É essa estrutura psicológica gerada, portanto, que pode representar de modo mais completo a individualidade de uma pessoa em sua plenitude, inclusive seus altos e baixos, do espiritual até ao instintivo, bem como alma, espírito e corpo.[36] Com a consolidação (uma *coniunctio*, para empregar a terminologia alquímica) da função transcendente, a pessoa obtém a capacidade de se tornar ela mesma de maneira mais ampla e complexa do que antes.

O que Jung escreveu em 1916 em "A Função Transcendente" era um esboço preliminar de estudos e pesquisas que fluíram de sua pena nas décadas seguintes. Suas percepções sobre a imaginação ativa e a importância dela para a individuação aprofundaram-se e se ampliaram em seu "Comentário sobre *O Segredo da Flor de Ouro*", em 1929, e no estudo do processo de individuação refletido em sonhos e na imaginação ativa de um jovem cientista, publicado em *Psicologia e Alquimia*. Nesses trabalhos, Jung sustenta que a individuação é um esforço cooperativo entre consciente e inconsciente, um processo irracional abordado antes, em 1916. Várias obras posteriores de Jung seguiram essa mesma linha de desenvolvimento com relação ao imperativo da individuação. Sua manifestação definitiva foi a obra magistral *Mysterium Coniunctionis*, publicada em 1955, aos 80 anos de idade.

No caso de Sara, o uso da imaginação ativa assumiu importância crucial nos anos posteriores de sua análise. Ela acabou desvendando uma variedade impressionante de imagens que orbitavam em torno do arquétipo da Grande Deusa e de Quan Yin — uma figura divina feminina nutriz e compassiva. A princípio, essa figura mostrava-se em total contraste, e até evidente contradição, com a posição egoísta de Sara. Nessa figura da imaginação, ela havia na verdade encontrado um "oposto" à sua atitude consciente e ao complexo do ego. No decurso de sua história de vida, Sara ficara conhecida como uma mulher agitada, espalhafatosa, narcisista, com trejeitos masculinos, uma sabichona norte-americana. Ela tinha lembranças vívidas e agora dolorosas de ter sido uma mãe inadequada, um fracasso como esposa e uma intelectual frustrada. A deusa compassiva, amorosa e clemente era na verdade muito diferente de sua sensação da própria individualidade. Com a reiterada manifestação dessa imagem na imaginação ativa, e com a crescente integração em si mesma das qualidades dessa imagem, Sara conseguiu, como pude observar de minha perspectiva como seu analista, unir o complexo do ego histórico conhecido com essas características alheias por completo do feminino coletivo. Por fim, pôde se sentir como aquela "terceira coisa" sobre a qual Jung escreve: a função transcendente "como uma qualidade de opostos conjugados". Nesse sentido, ela se tornou uma nova pessoa.

No decorrer desse processo irracional observaram-se inúmeras sincronicidades[37] importantes. Descobri que a sincronicidade acompanha efetivamente a individuação a partir do momento em que o processo irracional a que me refiro aqui se instala. Se o ego puder ser induzido a abandonar a necessidade de controle absoluto e a confiar no fluxo de um processo de vida governado por algo exterior a ele mesmo, outro conjunto de fatores entra em cena, abrindo caminhos para uma nova exploração. No caso de Sara, as sincronicidades se deram como momentos de oportunidade para compreender seu Self emergente, essa combinação de características pessoais e coletivas. Seus filhos propiciavam diversas oportunidades ao teste decisivo das capacidades recém-conquistadas: dar apoio e conter sua forte reação emocional. Velhas amigas reapareceram e se afastaram de sua vida em momentos cruciais; livros importantes se revelaram; surgiram oportunidades para voltar a visitar velhos amigos e lugares; e objetos que haviam representado crise ou fracasso se puseram à disposição para uma nova abordagem. Seus sonhos também acrescentaram características importantes ao quadro da identidade emergente. E foi todo esse conjunto de fenômenos correlatos — dados da história, percepção consciente e memória, imagens inconscientes oriundas da imaginação ativa e de sonhos, e sincronicidades — que compuseram o que chamo de "emergência do Self" em meu livro *Transformation — Emergence of the Self*. Com Sara, que chegava aos seus 85 anos quando por fim encerramos nossas sessões, então realizadas por telefone, porque ela não conseguia mais viajar, tive o privilégio de testemunhar o processo de individuação criar raízes e florescer. O que ocorreu foi de fato a confirmação da expectativa de Sara de que o "crescimento" ainda lhe era possível quando entrou em análise quinze anos antes.

2

O Papel da Experiência Numinosa na Individuação

Em uma carta a P. W. Martin, fundador do International Study Center of Applied Psychology [Centro Internacional de Estudo de Psicologia Aplicada] em Oxted, Inglaterra, Jung confirmou o significado fundamental da experiência numinosa em sua vida e obra:

> Sempre me pareceu que os verdadeiros marcos eram certos acontecimentos simbólicos caracterizados por um forte tom emocional. Você tem toda razão, o principal interesse do meu trabalho não está no tratamento de neuroses, mas na abordagem do numinoso. O fato é que o acesso ao numinoso é a verdadeira terapia, e, na medida em que você vive experiências numinosas, fica livre da maldição da patologia. A própria doença assume um caráter numinoso.[1]

Se concordarmos com Jung que a única cura verdadeira da neurose consiste em superá-la por meio de uma individuação sempre maior, então o tratamento terapêutico baseado nesse modelo deve necessariamente incluir "a abordagem do numinoso", como Jung afirma de maneira decisiva nessa carta. É correto dizer que o princípio de individuação, conforme exposto por Jung e seus seguidores, implica a experiência numinosa como característica central.

A pergunta que persiste, contudo, é a seguinte: como essas experiências simbólicas tão essenciais se relacionam com o processo de individuação e são usadas para levar esse processo adiante? A resposta a essa pergunta estabelecerá a diferença entre a individuação psicológica e o caminho do desenvolvimento espiritual. Embora o herói/heroína psicológico da jornada da individuação não seja em absoluto idêntico ao herói/heroína espiritual da jornada para Deus (qualquer que seja a definição que se dê a essa palavra), nem sempre é fácil dizer em que ponto esses caminhos divergem, precisamente porque a experiência numinosa também ocupa uma posição de importância fundamental para a individuação. Todavia, eles divergem de modo decisivo. Neste capítulo, tentarei explicar essa sutil, mas importante, diferença.

A Cura Psicológica
e a Experiência Numinosa

Podemos começar investigando como a vivência de experiências numinosas liberta a pessoa da maldição da patologia, isto é, das garras dos complexos, como afirma Jung em sua carta a P. W. Martin. Em termos gerais, a "abordagem do numinoso" é considerada um projeto religioso, uma peregrinação. A "vivência de experiências numinosas" de que fala Jung refere-se a experiências religiosas de uma natureza quase mística. Por si só, e sem maior reflexão ou interpretação, essa vivência poderia muito bem convencer a pessoa de que a vida tem sentido. A experiência numinosa cria um vínculo potencialmente convincente com o Infinito, o que com frequência leva à sensação de que falhas de caráter, como dependências químicas ou distúrbios comportamentais, são triviais em comparação com a profunda visão da totalidade e unidade alcançada no estado místico.

O sintoma patológico pode assim ser interpretado como um estímulo para se prosseguir na busca espiritual, ou como uma porta paradoxal para a transcendência, e essa interpretação pode dar sentido à doença ou à própria falha de caráter. Talvez, de fato, seja necessário certo grau de patologia para que uma pessoa se sinta motivada o suficiente a empreender uma busca espiritual. Nesse caso, a vivência de experiências numinosas produziria uma mudança na sensação de que a patologia é uma maldição, mesmo que ela não tenha resultado na cura da patologia em si, embora também pudesse levar a isso.

Para pessoas modernas e argutas no que diz respeito à psicologia, porém, uma resposta espiritual como essa significaria tão somente um curativo temporário, jamais uma solução definitiva para os problemas criados pela neurose. Para essas pessoas — em geral, as que costumam procurar análise em vez de orientação espiritual ou peregrinações religiosas —, a consciência espiritual por si só não é suficiente. Sendo assim, de que modo a abordagem do numinoso e a vivência de experiências numinosas contribuiriam para o projeto psicológico mais amplo da individuação? Esse é um problema muito mais complexo do que a mais religiosa das pessoas imagina.

Fundamentalmente, não podemos conceber que Jung (ou os junguianos que o seguem) acalentava a ideia de que a libertação da maldição da patologia para o terapeuta, ou para as pessoas com quem ele trabalha na análise, poderia ser apartada da vivência de uma existência plena, isto é, do máximo envolvimento possível no processo de individuação. Empreender buscas espirituais e ter experiências numinosas podem ser momentos importantes para a individuação, mas, por si sós, não são suficientes para estabelecer, quanto mais completar, um processo de individuação, embora possam criar uma mudança profunda de atitude e de personalidade, como no caso de Paulo de Tarso a caminho de Damasco.[2] De modo geral, porém, uma experiência numinosa é um "sinal", como Jung a define em diversas passagens, de que existem na psique poderes maiores, não egoicos, que precisam ser considerados e por fim levados à consciência. Entre as prioridades da tarefa de individuação está a importância de tornar a psique consciente. Esse empreendimento oniabrangente pode ser descrito minimamente como multifacetado devido à complexidade presente na psique como um todo (isto é, o Self). Na psicoterapia junguiana, tratar a patologia não é uma tarefa parcial. Sintomas específicos não podem ser isolados das questões mais gerais da consciência nem da totalidade, ou seja, das questões da individuação de uma natureza profunda e ampla.

Para aprofundar esta análise, relembremos o duplo movimento básico do processo de individuação — análise e síntese —, conforme tratado no capítulo anterior. O desenvolvimento da consciência e a realização da identidade completa da personalidade, isto é, a individuação, exigem a princípio que a pessoa rompa a identidade inconsciente com a *persona*, de um lado, e com as figuras da *anima/ animus*, de outro.[3] Os vínculos e identificações com essas estruturas e seus conteúdos devem se afrouxar por meio da reflexão consciente e da análise. Depois disso, pode ocorrer um processo de diálogo interior ("imaginação ativa") pelo qual se aumenta a distância entre o ego-consciência e essas outras estruturas psíquicas. Isso envolve o movimento analítico no processo de individuação. Por intermédio dele, consciência e identidade passam a parecer menos um conjunto estático de objetos e padrões, como uma pintura, e se tornam mais algo semelhante a um espelho, no qual objetos podem entrar e do qual podem sair livremente do campo de visão, mas sem se instalar de modo permanente. Esse movimento de análise inclui a dissolução de vínculos com objetos religiosos, práticas tradicionais e projeção de teologias. Não há lugar aqui para identidade fixa com uma figura religiosa, um símbolo tribal ou nacional, ou um valor cultural.

Uma das principais conquistas da individuação consiste em chegar a esse tipo de fluidez em consciência e alcançar certo grau de liberdade com relação a identidades que foram criadas na infância e na adolescência e, depois, consolidaram-se através de sucessivos apegos, amores, lealdades e a necessidade de pertencer e ser um membro fiel de determinada comunidade. Se esse projeto se assemelhar ao desenvolvimento espiritual, isso se dará por uma *via negativa* (baseada em negação), levando-se em conta a forma que os movimentos mais místicos em muitas tradições religiosas (cristianismo, islamismo, judaísmo, budismo) assumem. Pensando sobre a psique em termos dinâmicos, compreende-se de imediato que a identificação com qualquer uma das diversas estruturas psicológicas (*persona*, complexos pessoais ou culturais, padrões arquetípicos) impede o avanço do movimento de individuação, fixando o ego em objetos que foram agregados de maneira inconsciente. A consciência precisa se libertar disso se a pessoa quiser alcançar a individualidade e sua verdadeira unicidade.

Em termos experienciais, é a carga afetiva de "vozes" ou "imagens" instaladas nessas estruturas psíquicas, dando-lhes sustentação e fazendo exigências impositivas, que causa o problema. Essas vozes e imagens representam as figuras com as quais a pessoa se identifica ou às quais está ligada emocionalmente por laços afetivos — pais, mentores, amantes, líderes comunitários, inimigos, "fantasmas" etc. Essa realidade da vida psicológica significa que, na psicoterapia, defrontamo-nos com vozes e imagens que comunicam sentimento e emoção, não com estruturas internas em si. Falar em termos estruturais promove um nível de abstração que é necessário teoricamente, mas não clinicamente útil ou preciso em si e por si mesmo do ponto de vista descritivo. É ouvindo com atenção essas vozes e imagens à medida que chegam concretamente ao campo do pensamento e do funcionamento conscientes — e que se as percebe influenciando e às vezes até se apossando da vontade consciente e da intenção — que nos deparamos com a dimensão mítica da psique, esta a apenas um pequeno passo da morada dos poderes numinosos.[4] Na fase analítica da individuação, a identificação inconsciente do ego com tais figuras, entre elas as arquetípicas, torna-se objeto de *aná* (em grego, "para cima") + *lysis* (em grego, "afrouxamento", "dissolução") (ou seja, análise = decomposição, separação). A pessoa precisa se libertar do poder e da influência dessas figuras. Desvinculação e separação, e não união, são os temas centrais desse movimento.

Um Pouco de História

Da perspectiva histórica, o interesse de Jung por figuras míticas da psique inconsciente começou por volta de 1909 e encontrou sua primeira e importante exposição publicada em uma obra dividida em duas partes: *Wandlungen und Symbole der Libido* de 1912 (traduzida para o inglês pela primeira vez em 1916). Com base em um texto escrito por Miss Frank Miller, "Some Instances of Subconscious Creative Imagination" [Algumas Instâncias de Imaginação Criativa Subconsciente], publicado com introdução do psicólogo suíço Theodor Flournoy,[5] Jung trouxe à tona o substrato mítico oculto nas fantasias dessa mulher norte-americana. Para ele, essa investigação expôs uma camada mais profunda da psique do que a meramente pessoal. Existem vozes e imagens ativas no inconsciente que ocupam um espaço localizado em um nível não pessoal. A princípio, Jung as denominou "imagens primordiais"; depois as chamou de "arquétipos do inconsciente coletivo". Uma investigação minuciosa da consciência, em especial por meio da análise de devaneios, fantasias e sonhos, revela imagens arquetípicas em ação que exercem influência controladora sobre pensamentos e sentimentos no estado de vigília.

Revirando esses recessos recônditos, Jung descobriu o poder de influência das imagens primordiais sobre a consciência, tornando-se para ele irrefutável a autoridade determinante dessas imagens para a vida psicológica. Presos em torno e dentro de vozes e imagens interiores e pessoais, Jung descobriu "os deuses". Essas forças e energias impessoais de dimensão colossal e qualidades primitivas, e ao mesmo tempo sofisticadas, não só perturbam a consciência, porém; são também portadoras de cultura, de valores espirituais transmitidos ao longo de gerações, e de padrões de instinto e imaginação que podem ser encontrados em todas as culturas e em todas as épocas da história humana. Em última análise, as imagens dessas forças personificam e representam a experiência do divino vivenciada pela humanidade, por um lado, e dos instintos (como sexualidade, fome, criatividade etc.), por outro.

Essa percepção profunda dos fundamentos arquetípicos da psique levou Jung à descoberta de que os sintomas patológicos também contêm (e com frequência escondem) um elemento arquetípico. As psicopatologias humanas não são só aquisições individuais e pessoais. Surgem multicultural e universalmente, e seu aparecimento e manifestação estatística são, de certa maneira, pouco afetados por circunstâncias sociais e culturais. Elas são um resultado comum da interação humana com ambientes variados e disfarçam ou representam necessidades humanas básicas, entre elas, as espirituais. Uma pessoa deve abordar essas necessidades de maneira direta e aceitá-las, para que a vida alcance equilíbrio e plenitude. A individuação depende de se efetuar esse movimento rumo à consciência e à integração.

O numinoso entra nessa discussão no que se refere ao papel que as influências arquetípicas exercem em estados patológicos da mente. Como escreve Jung a William Wilson, cofundador dos Alcoólicos Anônimos, em carta datada de 30 de janeiro de 1961: "O anseio de Roland (paciente de Jung) por álcool era o equivalente, em um nível inferior, à sede espiritual de plenitude do ser, expressa em linguagem medieval: a união com Deus".[6] No caso de Bill W., forma de referência a Wilson na literatura dos AA, a abordagem do numinoso e a vivência de experiências numinosas o transformaram quando ele foi capaz de se libertar da noção de que abrir-se ao numinoso o obrigaria a voltar para a religião habitual da infância e à prescrição de seus ensinamentos e estruturas dogmáticas. Como ele não podia fazer isso, o caminho para a integração do numinoso ficou bloqueado. Para Bill W., sua tradição religiosa se tornara, como costuma acontecer com muitas pessoas modernas, procustiana. A solução chegou com o conselho espontâneo de um amigo alcoólatra que havia encontrado uma saída para a espiritualidade: "Por que você não escolhe sua própria concepção de Deus?" Dar ao ego escolha e responsabilidade, em vez de insistir em submissão ao dogma, foi a resposta ao seu conflito espiritual. O ato de se libertar para encontrar seu caminho rumo ao numinoso como indivíduo — esse é o ponto essencial para as pessoas modernas — produziu em Bill W. uma transformação tão fundamental que a doença que degenerava seu corpo físico e psicológico pôde ser debelada. Com base nessa percepção persuasiva de que o elemento numinoso na espiritualidade pode curar, um indivíduo se libertou da dependência do álcool, e uma organização de autoajuda mundial surgiu. Uma vez encarado e integrado à vida diária o verdadeiro anseio subjacente no álcool, o desejo do êxtase alcoólico pôde ser mantido sob controle.

Não são todas as dependências, podemos nos perguntar após testemunhar uma variedade tão grande delas na prática clínica, uma busca de algo tão elusivo, a ponto de ser considerado, de certo modo, "espiritual"? (Lembremos que, na alquimia, espírito = álcool/ aguardente.)

Experiências Numinosas e Individuação: Indícios e Sinais para Integração

Para Jung pessoalmente, as experiências numinosas eram de suma importância para a individuação, como ele próprio afirma na carta a P. W. Martin citada acima. Em sua obra tardia *Memórias, Sonhos, Reflexões*, ele se refere a elas quando escreve: "Os anos em que estive em busca de minhas imagens interiores foram os mais importantes de minha vida — neles, foi decidido tudo o que é essencial".[8] Trata-se de uma referência ao período do "confronto com o inconsciente" — 1912-1928. Sobre essas imagens interiores, ele faz este comentário revelador: "Foi a *prima materia* para o trabalho de toda uma vida".[9] Em outras palavras, a vivência de experiências numinosas, conquanto significativa em si mesma, não era o resultado final; antes, ela oferecia os ingredientes essenciais (a *prima materia* alquímica) para estágios seguintes de aprimoramento na obra de individuação.

Essas experiências do numinoso constituíam material a ser trabalhado. Elas ofereceram o conteúdo com base no qual ele pôde extrair sua teoria psicológica e compor sua identidade definitiva: "Dele [isto é, do último sonho numinoso de uma longa série, o famoso sonho de Liverpool] emergiu um primeiro vislumbre do meu mito pessoal", e "Aquela [isto é, a série inteira de imagens e experiências numinosas] foi a matéria primordial [...] e as minhas obras são um esforço mais ou menos bem-sucedido de apresentar essa matéria incandescente ao panorama contemporâneo do mundo".[10] Esse é um pequeno esboço do trabalho psicológico de individuação. Trata-se de um processo de sublimação que transforma o espiritual em psicológico e torna a experiência numinosa prática e proveitosa. As imagens arquetípicas expostas em experiências numinosas integram-se ao funcionamento psicológico e são assimiladas no mundo contemporâneo.

A explicação psicológica para as experiências numinosas como as que Rudolf Otto relata em seu livro seminal, *The Idea of the Holy*, por exemplo, está no mecanismo de projeção, pelo qual conteúdos inconscientes são "percebidos" em objetos físicos, rituais ou sons que os emitem. Em experiências religiosas, sustenta o psicólogo, o ego vivencia um conteúdo do inconsciente em projeção. Quanto mais simbólica a experiência, tanto mais arquetípico o conteúdo. Tais experiências criam símbolos que ligam a consciência ao inconsciente, e eles oferecem "dicas" que podem ser decifradas como comunicação. Esses sinais podem levar a uma perspectiva mais profunda da vida do ponto de vista do inconsciente coletivo, sendo essenciais ao processo psicológico de individuação caso se consiga trazê-los à superfície e torná-los conscientes. Descreve-se essa transformação de um estado (espiritual) em outro (psicológico) como sublimação.

Para citar Von Franz:

A sublimação deriva da alquimia. Freud a extraiu da alquimia, da química. Por exemplo, quando ferve, a água se torna vapor. Vapor é água sublimada. É a agregação de outro estado. Do ponto de vista químico, o vapor não é diferente da água. Mas, em termos qualitativos, ele se manifesta em outra forma. Tem potencial maior. No vapor, as moléculas de água são mais vivas; elas giram mais e por isso dão a impressão de vapor em vez de água.[11]

Uma vez assim sublimadas, as imagens arquetípicas se entrelaçam no tecido da identidade consciente da pessoa. Integram-se a ela. Como espírito e transcendência sublimados, elas propiciam a cura, libertando a pessoa das limitações da estrutura do ego puramente imediata e temporal, e assim contribuindo, em essência, para a formação do que Jung denominou "função transcendente",[12] uma estrutura psicológica de identidade constituída de elementos pessoais e arquetípicos.

"É realmente espantoso observar como a maioria das pessoas reflete pouco sobre objetos numinosos e não procura harmonizar-se com eles", declara Jung em sua famosa explosão teológica, *Resposta a Jó* "e como tal empreendimento é laborioso a partir do momento em que o assumimos. A numinosidade do objeto dificulta lidar com ele no âmbito intelectual, uma vez que nossa afetividade está sempre envolvida".[13] Uma sublimação e integração desse tipo é uma tarefa difícil, mas absolutamente essencial para a obra de individuação.

Em reflexões como esta, é necessário ser cuidadoso e prestar atenção à definição de "inconsciente" como "desconhecido", que Jung repete com frequência. Do contrário, arriscamo-nos a cair na armadilha de uma espécie radical de reducionismo psicológico. A afirmação de que a religião não se baseia em outra coisa senão em conteúdos inconscientes projetados (isto é, em experiências numinosas do *Mysterium*) poderia ser interpretada como uma indicação para se reduzir o estudo da teologia e da religião a um subdepartamento da psicologia cuja tarefa consistiria em demonstrar como conflitos pessoais etc. geram defesas religiosas e pseudossoluções para os problemas da vida. Algumas escolas de psicologia festejariam sem dúvida esse rebaixamento do religioso ao psicológico. Porém, essa não é a direção de Jung nem da Psicologia Analítica.

Nessa abordagem, o psicológico envolve (isto é, assume, integra) o religioso de tal modo que seu valor espiritual não é prejudicado nem se reduz. É sublimado. Na verdade, o espiritual se confirma e se amplia por meio do psicológico. A psique não se limita à química cerebral, à primeira infância ou a potenciais de comportamento e aprendizado. Ela é antes um termo último com um horizonte infinito, que em princípio não exclui o fundamento metafísico dos conteúdos inconscientes. Conteúdos inconscientes são todos os fatores do mundo situados além da percepção e do controle do ego, seja porque tenham sido reprimidos (em consequência de conflito entre imagens ou ideias incompatíveis), seja porque ainda não se tornaram plenamente conscientes (tudo o que ainda não foi "psicalizado", ou sublimado, nem integrado). Dizer que o objeto simbolizado pela experiência religiosa é um conteúdo do inconsciente não exclui sua possível condição metafísica. Apenas afirma um limite do conhecimento humano. Essa é, portanto, uma afirmação de cautela epistemológica por parte do cientista, mas não uma asserção de que símbolos religiosos e objetos numinosos não têm base ontológica. O metafísico não pode ser nem corroborado nem negado por métodos científicos. Ele deve permanecer hipotético.

Os "sinais" que Jung menciona repetidas vezes em referência a experiências numinosas podem ser considerados similares ao que Peter Berger, sociólogo e estudante da modernidade, tem em mente com sua evocativa expressão "sinal de transcendência":

> Falar de sinal de transcendência não é negar nem idealizar os fatos empíricos, em geral espinhosos, que fazem parte de nossa vida no mundo. É antes tentar obter um vislumbre da graça a ser encontrada "em, com e sob" a realidade empírica de nossa vida.[14]

Porém, Berger fala com base na perspectiva da fé, ao passo que Jung mantém-se na posição de observação, sempre neutra, do psicólogo.

Sombras do Nume

Em diversas passagens em *The Idea of the Holy*, Otto admite o lado sombrio do *numinosum*, origem do "temor" e "tremor" que encontramos em relatos de experiências religiosas em todo o mundo.[15] Podemos compreender com facilidade que Jung, como psiquiatra, era muito sensível ao poder destrutivo do inconsciente, estando também ciente do efeito potencialmente negativo da experiência numinosa em muitos níveis. Arquétipos podem causar profunda perturbação à consciência,[16] por mais importante que seja a experiência com eles para relacionar o ego à realidade transpessoal do Self.

Em *Memórias, Sonhos, Reflexões*, Jung comenta o efeito deformador que as ideias e imagens numinosas podem ter sobre a cognição. Em uma passagem admirável, em que narra seu encontro com

Freud durante os primeiros anos de sua carreira como analista, ele escreve:

> Sempre que uma experiência numinosa tumultua a mente, há o perigo de que o fio em que estamos suspensos se rompa. Então podemos cair em uma afirmação absoluta, ou igualmente absoluta negação. [...] O pêndulo da mente oscila entre senso e contrassenso, não entre verdade e falsidade. O *numinosum* é perigoso porque impele o homem a extremos, de modo que se tem uma verdade simples como a Verdade e um erro menor como fatalidade [...].[17]

Jung observou Freud nas garras de um poder numinoso, a sexualidade:

> Minha conversa com Freud mostrara-me seu temor de que a clareza numinosa de suas ideias sobre a sexualidade pudesse ser extinta por uma "onda de lodo negro". Surgira assim uma situação mitológica: a luta entre luz e trevas. Essa luta explica a numinosidade da situação e a razão pela qual Freud apelou de imediato a um meio de defesa religioso, o dogma.[18]

Jung conclui que a numinosidade da sexualidade havia distorcido o pensamento científico em geral incisivo de Freud. Conteúdos numinosos do inconsciente atraem magneticamente o pensamento para uma órbita em que ele se torna mera racionalização engenhosa. Isso é o que se costuma constatar em pessoas que estão absolutamente convictas de um ensinamento religioso. Tomadas de fé e crença, seu pensamento é sem dúvida influenciado por uma imagem arquetípica de proporções colossais, mas em grande parte inconscientes, o que confere a certas ideias uma espécie de certeza dogmática, triunfante. Apenas um passo adiante nesse caminho e encontramos o mártir, cuja identificação com a imagem arquetípica é tão extrema que a vida mortal em si deixa de ser prioritária. Desnecessário dizer, esse é o exato oposto do projeto de individuação, que consiste em tornar o conteúdo numinoso o mais consciente possível, em sublimá-lo e integrá-lo, e relacioná-lo com outros aspectos bem diferentes do Self, fazendo-o assim se relativizar.

Jung dirigiu essa mesma crítica à política nacional em seu ensaio sobre Wotan, de 1936, no qual oferece uma análise psicológica do poder deformador das imagens numinosas na conturbada dinâmica política e social que retalhava o tecido cultural da Alemanha e da Europa central na época. Nesse caso, observou ele, a numinosidade do primitivo deus germânico recém-constelado, Wotan, havia magnetizado uma nação inteira e levava a Alemanha a uma meta desconhecida e determinada de forma irracional. A possessão arquetípica em uma comunidade ou cultura investe certas ideias e políticas de certeza defensiva e nega a legitimidade da dúvida. Pensamentos e imagens contrários são atacados e reprimidos com brutalidade. É o que acontecia com a sociedade alemã à época. Não havia espaço para reflexão, questionamento, debate, que dirá para opiniões divergentes. A convicção baseada em apoio e projeção arquetípicos parece interromper a circulação para o neocórtex, inflamando as emoções. Os primitivos cérebros reptiliano e límbico impõem-se e ganham dominância.[19]

Uma precaução compreensível em torno do arrebatado entusiasmo gerado pela religião, ideologia ou hermenêutica mitopoética despertou em certas pessoas uma suspeita incômoda com relação à psicologia de Jung e às perspectivas junguianas clássicas sobre interpretação de sonhos e os métodos hermenêuticos de amplificação e imaginação ativa. Essas perspectivas e métodos penetram com demasiada profundidade no território tabu do mito e do símbolo para não intrigar. O que se pode perder por deixar essa ansiedade assumir o controle, no entanto, é a possibilidade de a experiência numinosa oferecer um "sinal": de que a vida humana tem um vínculo com a transcendência e de que o indivíduo é uma "alma" com o potencial de entrar em relação com o espiritual de maneira totalmente natural sem se precipitar na loucura. Na arte alemã contemporânea, isso começou a se manifestar de novo nos quadros ousadamente simbólicos de Anselm Kiefer e nos filmes mais recentes de Wim Wenders, em que indícios e sinais de transcendência podem ser entrevistos na tessitura da vida cotidiana.

O Herói/Heroína da Individuação

A jornada psicológica da individuação perpassa o reino do *numinosum*, onde o herói/heroína dirige toda a sua atenção aos "sinais" que se manifestam nessas experiências. Mas então o caminho o leva mais uma vez para *fora desse reino*. Essa jornada não encontra seu destino final no "Sagrado" ou em seu santuário, como Rudolf Otto gostaria. A individuação, portanto, não equivale a uma jornada mística, que em seu ápice outorga o prêmio da experiência da união com Deus ou da visão do *Mysterium tremendum*. A individuação não culmina em um ato de adoração, e também não se identifica com a resoluta *via negativa* de tradições religiosas como o zen-budismo. Ela comporta elementos de ambos — vivenciar o numinoso e limpar o espelho da consciência —, mas os inclui como dois movimentos na esfera de uma tarefa maior. Para o herói/heroína espiritual, tudo o mais representa afastamento da culminância da união mística na experiência numinosa. Para o herói/heroína da individuação, por outro lado, experiências numinosas são *prima materia* para a obra de individuação, que prossegue de modo infinito. Permanecer ou "ficar preso" no território do *numen*, seja ele definido como cheio ou vazio, equivaleria a ficar incorporado no inconsciente,[20] o que significa um estado patológico de inflação exaltada, perda dos limites e da integridade do ego, e talvez até a permanência em um estado de psicótica defesa paranoica. Tais "estados de possessão" costumam ser destrutivos para indivíduos e grupos.

Para o processo psicológico de individuação, contudo, as vivências de experiências numinosas, se sublimadas e integradas pela consciência, são marcos importantes e com frequência constituem momentos cruciais, guinadas radicais na jornada. Mais importante ainda, elas participam da criação da "função transcendente". A tarefa da individuação é torná-las conscientes e encaminhá-las a uma relação com outros aspectos do Self, alcançando-se assim certo grau de plenitude.

Para concluir este capítulo, podemos dizer que o herói/heroína psicológico trabalha para se livrar de identificações e complexos pessoais sem sucumbir ao aceno sedutor de identificações e complexos arquetípicos. Uma personalidade pode imbuir-se de experiências e conhecimento do numinoso sem se deixar possuir por ele nem contar com ele para propósitos defensivos. O herói/heroína psicológico pode alcançar certa liberdade com relação aos complexos e aos deuses e também ter um vislumbre da identidade transcendente. No entanto, sempre resta uma medida saudável de respeito por toda espécie de poder, pois seria absurdo acreditar que alguém possa se livrar deles por completo.

* * *

Considerações sobre Rudolf Otto, Autor da "Ideia do Numinoso"

Jung atribuiu um valor tão elevado à experiência numinosa no processo de individuação, que é instrutivo conhecer um pouco mais sobre essa terminologia e sua origem. O teólogo alemão Rudolf Otto (1869-1937) promoveu o uso dos termos *numinosum*, numinoso, e numinosidade em sua famosa obra *Das Heilige*, (traduzido para o inglês, um tanto incorretamente, como *The Idea of the Holy* e publicado no Brasil como *O Sagrado*) com o objetivo de descrever o "Sagrado", mas de modo a preservar suas distintas peculiaridades com relação a outras interpretações de caráter teológico, filosófico ou ético, como "bem" ou "bondade", por exemplo. Ele escreve: "Com esse propósito, adoto uma palavra derivada do latim *numen*. *Omen* [presságio] nos dá 'ominoso', não havendo razão para não formar, de *numen*, assim também a palavra 'numinoso'".[21] Otto se propôs a descrever a experiência humana do "Sagrado", e não o conceito teológico de santidade. Sua obra apresentou um forte componente psicológico e emocional ao estudo das religiões, em contraste com outras abordagens comparativas e históricas e, sobretudo, com a tarefa teológica, que muitas vezes trata doutrinas recebidas quase com exclusividade e oferece uma explicação racional (no sentido de organizada e sistemática) de ensinamentos e textos tradicionais (isto é, "revelação").

Para um protestante como Otto, a "fé", é evidente, e não a experiência numinosa, costumava ser considerada o fato central da vida religiosa. A fé pode com frequência assumir a forma de anuência intelectual, e por isso quase racional, a proposições doutrinárias. Otto, ao contrário, queria pronunciar-se sobre a natureza da experiência religiosa e demonstrar a fundamental importância do irracional na religião; daí o subtítulo de seu livro: Über das Irrationale in der Idee des Göttlichen und sein Verhältnis zum Rationalem [Sobre o Irracional na Ideia do Divino e sua Relação com o Racional]. Sem desejar, é óbvio, abandonar os elementos racionais da teologia,[22] ele expôs de maneira criativa a qualidade não racional da experiência religiosa e, em especial, suas fortes conotações emocionais.

Para Otto, o encontro humano com o "Sagrado", como imagem, ritual ou som, só poderia ser descrito com precisão com palavras veementes como *Mysterium tremendum et fascinans* (Mistério tremendo e fascinante), uma expressão que ele explica meticulosa e profundamente em sua exposição da experiência numinosa. Entrar na presença do "Sagrado" era para ele sentir-se estremecido até as bases pelo poder e pela impressionante magnitude do Outro que é confrontado nessa experiência. Para descrever esse estado, ele emprega palavras como "tremor", "estupor", "espanto" e "assombro". Como estudioso das inúmeras formas de misticismo no mundo, ele também associou essa vivência ao "vazio" dos místicos budistas.[23] Esse momento religioso universal é primariamente uma experiência de sentimento, enquanto a teologia é sobretudo um exercício de pensamento e reflexão.

Não é de todo claro como Otto chegou a essa posição, se pela influência dos primeiros professores e ministros ou de filósofos como Kant e Fries, que ele estudou a fundo, se por intermédio de teólogos cristãos como Schleiermacher, que também enfatizava a importância crucial do sentimento na vida e nos ensinamentos religiosos, ou ainda se por levar em consideração as próprias experiências do Sagrado.[24] É possível que sua tipologia psicológica também tenha exercido um papel relevante. Sua preferência pelo sentimento ao pensamento o diferenciou de seus colegas teólogos. Sejam quais forem os motivos, ele ficou cativado e fascinado pelo poder da experiência numinosa. Em algumas cartas escritas para casa durante suas viagens, Otto descreve dois incidentes impressionantes que alguns estudiosos consideram decisivos para sua profunda valorização do numinoso. Esses incidentes oferecem um relato vívido do que ele entende por "experiência numinosa". O primeiro ocorreu em uma visita a Mogador, no Marrocos, em 1911, cerca de seis anos antes da publicação de *Das Heilige*. Seu relato é datado apenas como "No Sabá":

É Sabá, e já no escuro, incrivelmente sujo vestíbulo ouvimos as "bênçãos" das orações e as leituras da Escritura, aquelas entoações nasais meio cantadas meio faladas que a sinagoga transmitiu como legado tanto à igreja como à mesquita.

O som é muito agradável, e logo é possível distinguir certas modulações e cadências regulares que se sucedem como *leit-motivs*. De início o ouvido tenta separar e compreender as palavras, mas em vão, e logo se quer parar de tentar. Então, de súbito, o emaranhado de vozes se desanuvia e [...] um temor solene invade o corpo inteiro. Ele começa em uníssono, de modo claro e inequívoco:

Qādôš qādôš qādôš 'ĕlōhîm ădonāy sebāôt
Māle'û haššāmayim wehāāres kebôdô![25]

Eu ouvi o *Sanctus, sanctus, sanctus* dos cardeais em São Pedro, o *Swiat, swiat, swiat* na catedral no Kremlin, e o *Hagios, hagios, hagios* do patriarca em Jerusalém. Em qualquer língua em que essas palavras sejam pronunciadas, as palavras mais sublimes que os lábios humanos já proferiram, elas sempre nos apanham nos recônditos mais profundos da alma, despertando e inflamando com intenso arrepio o mistério do sobrenatural que lá dormita. Isso acontece aqui mais do que em qualquer outro lugar, aqui neste lugar deserto, onde elas ressoam na língua em que Isaías as ouviu pela primeira vez e nos lábios dessas pessoas de cuja herança elas a princípio foram.[26]

Aqui encontramos o tremor religioso e a forte resposta emocional que Otto analisará mais tarde em *Das Heilige*. Essa experiência memorável deve, para dizer o mínimo, ter contribuído de modo importante como base de experiência para ele escrever sobre o numinoso com convicção pessoal. Para a elaboração de seu notável livro, o dom da criatividade intelectual e a coragem devem ter exercido um papel de suma relevância.

A segunda experiência numinosa emocionante ocorreu cerca de onze anos após a publicação de *Das Heilige* e corroborou o que Otto estivera escrevendo ao longo da década anterior e além. Ele a descreveu em uma carta datada de 4 de janeiro de 1928, com carimbo postal de Bombaim:

Da nossa sacada podemos ver o maravilhoso Bombay Harbor. Muito próximo dele ergue-se o imponente "Portal da Índia" e à esquerda deste vemos a ilha montanhosa de Elefanta. Estivemos lá três dias atrás. Os visitantes sobem os magníficos degraus de pedras até a metade da montanha, ponto em que, à direita, abre-se uma larga porta na rocha vulcânica. Essa porta dá para uma das maiores cavernas-templo da antiga Índia. Pilares sólidos, esculpidos na rocha, sustentam o teto. Aos poucos, os olhos do visitante se habituam à meia-luz, quando então conseguem vislumbrar representações maravilhosas da mitologia indiana entalhadas nas paredes. Por fim, os olhos se deparam com o nicho principal, enorme. Ali se eleva proeminente uma imagem da divindade que só posso comparar com certas obras da escultura japonesa e com as grandiosas imagens de Cristo em antigas igrejas bizantinas: uma forma com três cabeças, representada do peito para cima, ressaltando da rocha, três vezes a altura de um ser humano. Para sentir todo o seu efeito, é preciso sentar-se. A cabeça do meio olha diretamente à frente, silenciosa e imponente; as outras duas aparecem de perfil. São absolutos a serenidade e o esplendor da imagem. Ela representa Shiva como o criador, o preservador e o destruidor do mundo, e ao mesmo tempo como o salvador e propiciador de bênçãos. Em nenhum outro lugar eu vi o mistério da transcendência expresso com mais grandiosidade ou plenitude do que nessas três cabeças. [...] Uma visita a esse lugar, de fato, valeria por si só uma viagem à Índia, e do espírito da religião que viveu aqui se pode aprender mais em uma hora de contemplação visual do que em todos os livros já escritos.[27]

Essas experiências profundamente tocantes com objetos religiosos, de religiões que não a sua (uma judaica e a outra hindu), contribuíram para consolidar a convicção de Otto de que todas as religiões têm como fundamento impressões intensas do "Sagrado" como essas. O alicerce espiritual de templos e catedrais de todas as religiões, dando sustentação a seus ritos e rituais e às suas Escrituras sagradas, constitui-se de experiências do numinoso, sendo portanto psicológico. Para Otto, essa realidade forma o alicerce universal, basilar, de todas as religiões do mundo: "Desde o início, religião é a experiência do *Mysterium*, do que irrompe das profundezas de nossa vida de sentimento [...] como a sensação do suprassensível".[28] A fundamentação da religião na experiência do *Mysterium*, tal como desenvolvida por Otto, era totalmente compatível com a visão de Jung:

A ideia de Deus nasceu com a experiência do numinoso. Foi uma experiência física, com momentos em que o homem se sentiu dominado. Em sua Psicologia da Religião, Rudolf Otto designou esse momento como numinoso, termo derivado do latim *numen*, que significa assentimento ou sinal.[29]

Como estudioso das religiões do mundo, Otto pôde constatar a universalidade da experiência do *numinosum* e de objetos numinosos vivenciada pela humanidade. Desde tempos imemoriais, os humanos observaram a "sensação do suprassensível" a que Otto se refere em sua definição. Essa é a base experiencial das religiões, grandes e pequenas, próximas e distantes. Todas ocupam igual posição nesse quesito. Nesse sentido, Otto foi um apologista da religião em si, e não em particular da sua própria tradição, o cristianismo.[30] O fato de apreciar o valor da experiência religiosa em âmbito universal libertou-o dos limites estreitos de seu luteranismo ortodoxo e, como consequência, entrou com toda energia e entusiasmo em diálogo com membros de outras comunidades religiosas, fundou a "Liga Religiosa da Humanidade" e propôs a formação de um parlamento das religiões mundiais, a ser "composto pelos representantes oficiais das várias religiões".[31] Por sua atitude liberal, pagou um alto preço na universidade alemã em Marburgo, onde recebeu críticas severas e até mesmo ofensivas, sendo objeto de escárnio e desdém por parte dos estudantes cristãos neo-ortodoxos e de inúmeros outros teólogos,[32] em especial de seu arquirrival Rudolf Bultmann.[33]

Embora Otto considerasse que todas as religiões participam de uma base comum na experiência do *numinosum*, ele preservou a visão de que a tradição cristã oferece a expressão mais elevada de espiritualidade alcançada até então pela humanidade. Essa não era uma posição incomum para um teólogo cristão assumir em seu tempo, embora hoje pareça bastante provinciana e com certeza não seja a mais "politicamente correta" em círculos religiosos liberais. Não obstante, é instrutivo ver como Otto defendia essa visão, como na seguinte passagem de *Das Heilige*, que, também de modo bastante curioso, antecipa em torno de 35 anos algumas características da interpretação que Jung faz da Bíblia em *Resposta a Jó*:

O que faz de Cristo, em sentido especial, síntese e ápice do curso da evolução religiosa precedente é sobretudo isto — em sua vida, paixão e morte, repete-se de modo clássico e absoluto o mais místico de todos os problemas da Antiga Aliança, o problema do *sofrimento inocente do justo*, que ressoa repetidas vezes de modo misterioso de Jeremias e do Dêutero-Isaías, passa por Jó e chega aos Salmos. O capítulo 38 de Jó é uma profecia do Gólgota. E, no Gólgota, a solução do problema, já vislumbrada em Jó, se repete e vai além. Como dissemos, ela se encontrava inteiramente no aspecto não racional da divindade e, ainda assim, era uma solução. Em Jó o sofrimento do justo encontrou seu significado como o clássico e crucial evento da revelação do mistério transcendente de Deus, um evento mais real e imediato, e em proximidade mais palpável do que qualquer outro. A cruz de Cristo, esse monograma do mistério eterno, é sua consumação. Nesse caso, elementos racionais entrelaçam-se com não racionais, o revelado mescla-se com o não revelado, o amor mais exaltado confunde-se com a "ira" mais aterradora do nume, e, por isso, ao aplicar a categoria "sagrado" à Cruz de Cristo, o sentimento religioso cristão deu origem a uma intuição religiosa mais profunda e mais vital do que qualquer outra que se possa encontrar em toda a história da religião.[34]

Aí vemos como Otto usou sua ideia do numinoso e do irracional para explicar a essência simbólica do cristianismo.

Jung não concordava com esse tipo de classificação dos símbolos religiosos nem considerava o símbolo cristão como o mais elevado, embora encontrasse na cruz um símbolo profundo para o ônus central da individuação, isto é, suportar e sofrer a tensão dos opostos. O interesse de Jung pela cura e pelo processo psicológico de individuação era bem diferente da perspectiva principal de Otto, a qual se concentrava com exclusividade nos aspectos religiosos da vida e no culto do Sagrado. O envolvimento de Otto com a cura e o tratamento psicológicos era mínimo, e a noção de individuação psicológica não tinha relevância em seu pensamento. Seu maior interesse estava em descrever e analisar o contato com o numinoso. Jung, por outro lado, envolveu pessoalmente o "Deus interior" de maneira inteiramente psicológica, e, porquanto ele se relacionasse com a *imago Dei* com a mesma paixão e sentimento por seu mistério e poder emocional assombroso que Otto, essa relação era de caráter psicológico e não devocional, e acompanhada da cautela condizente com um psicoterapeuta. A paixão pelo espiritual, como todas as paixões, pode cair no *páthos* e na alienação extrema de outras partes do Self, como vemos tão bem hoje entre fundamentalistas e fanáticos religiosos. O objetivo da individuação, diferente do objetivo da busca religiosa, não é a união com o divino ou a salvação, mas sim a integração e a totalidade, a agregação dos opostos inerentes ao Self em uma imagem de unidade e a integração dessa imagem à consciência.

É lamentável, todavia, o fato de Jung não ter tido contato pessoal com Otto para aprofundar essa linha de discussão. Do início da década de 1930 em diante, Jung usou bastante a terminologia de Otto para se referir a uma diversidade de fenômenos psicológicos, em especial aos associados a manifestações de imagens arquetípicas do inconsciente coletivo. O potencial para um diálogo profícuo teria sido enorme, em parte porque os dois homens sorviam de fontes culturais e filosóficas comuns,[35] em parte porque ambos tinham um profundo e persistente interesse pelas religiões do mundo e pelas tradições místicas,[36] e, sobretudo, porque os dois ressaltavam a experiência, em vez da doutrina ou a "fé", como objeto primordial de suas investigações.

Seus caminhos quase se cruzaram em Ascona, na Suíça, em torno do período da fundação dos Eranos *Tagungen* [Congressos/Conferências/Encontros de Eranos], em 1932-1933, dedicados ao diálogo entre Oriente e Ocidente, e dos quais participavam intelectuais renomados do mundo inteiro. Infelizmente, Otto estava muito doente naquela época para participar dos primeiros encontros desse círculo de intelectuais, mas o nome Eranos resultou de sua sugestão à fundadora, Olga Froebe-Kapteyn.[37] Jung participou e fez palestras em Eranos com regularidade ao longo das décadas de 1930 e 1940. Otto e Jung também eram muito próximos do sinólogo Richard Wilhelm, a quem Otto visitou na China e com quem Jung colaborou bastante,[38] e com o indólogo Wilhelm Hauer, com quem ambos romperam relações, no caso de Otto por causa das visões negativas de Hauer sobre o cristianismo,[39] e no caso de Jung por causa das visões políticas pró-germânicas e arianas extremas de Hauer.[40]

Com seu livro *Das Heilige* e o uso do termo "numinoso" para descrever a natureza da experiência religiosa, Otto apresentou uma dimensão psicológica muito importante para o estudo científico da religião, mesmo que essa possa não ter sido sua motivação principal.[41] Jung, por outro lado, serviu-se da terminologia de Otto para realçar o que ele já sabia ser a importante dimensão religiosa da psique e dos aspectos de processos psicoterapêuticos e de desenvolvimento. Há muita sobreposição de visões em seus escritos publicados com relação à natureza da experiência numinosa, muito embora seus pontos de referência fundamentais sejam bem diferentes. Otto por certo teria argumentado contra o amplo uso que Jung faz do termo "numinoso", para abranger um grande espectro de experiências psicológicas, ao passo que ele próprio o limitou com exclusividade à experiência religiosa.

Jung, por sua vez, tomou de empréstimo e transformou a terminologia de Otto segundo seus próprios objetivos. À época em que ele começou a usar a palavra "numinoso", nos anos 1930, *Das Heilige*, publicado em 1917, já era um clássico, e Jung estava bem avançado em sua teorização psicológica. Sem maior esforço, Jung equiparou a experiência numinosa com a manifestação de conteúdos inconscientes, tanto os complexos pessoais como as imagens arquetípicas impessoais. Na passagem a seguir, Jung se expressa em uma palestra que proferiu em Zurique, no Instituto Federal de Tecnologia Suíço (ETH — Eidgenössische Technische Hochschule), em 5 de maio de 1934, reapresentada pouco depois em Bad Nauheim, Alemanha, no Sétimo Congresso de Psicoterapia:

> Será sem dúvida lembrada a grande tormenta de indignação que se desencadeou por todo lado quando as obras de Freud

se tornaram mais conhecidas. Essa reação violenta de complexos públicos levou Freud a um isolamento que resultou na acusação de dogmatismo contra ele e sua escola. Todos os teóricos da psicologia neste campo correm o mesmo risco, pois lidam com algo que afeta de modo direto tudo o que não pode ser controlado no homem — o *numinosum*, para usar um termo apropriado de Rudolf Otto. Onde começa a esfera dos complexos, a liberdade do ego chega ao fim, pois complexos são funções psíquicas cuja natureza mais profunda ainda é incompreensível. Sempre que o pesquisador consegue se aproximar um pouco mais do *tremendum* psíquico, como antes, as reações se multiplicam entre o público. [...][42]

Vemos por essa passagem que, para Jung, "o *numinosum*" e "o *tremendum* psíquico" — expressões extraídas diretamente da obra de Otto — traduziram-se em conteúdos do inconsciente, sem maior especificação quanto à sua natureza ou qualidade. Para Otto, o teólogo, tais expressões eram reservadas para experiências religiosas cujo objeto derradeiro seria considerado metafísico (isto é, o Divino), uma realidade transcendente mediada para as pessoas por meio de símbolos religiosos tais como ícones, estátuas, rituais ou sons relacionados com atos de veneração. Para Jung, o psicólogo, por outro lado, o objeto da experiência numinosa era um conteúdo da psique inconsciente que precisava tornar-se consciente.

Jung, no entanto, compartilhava com Otto a "musicalidade religiosa" (expressão de Max Weber), para ressoar com o numinoso na presença de símbolos e ideias religiosos. Otto escreveu que essa sensibilidade não podia ser ensinada; ela precisava ser evocada.[43] Assim como acontece com a apreciação e a criação da arte, algumas pessoas têm um dom para ela, ao passo que outras têm menos, pouco ou nenhum talento nessa área.[44] Jung tinha esse dom em um grau extraordinário. Seus relatos de experiências numinosas em primeira mão aparecem em vários de seus escritos — *Memórias, Sonhos, Reflexões*, "Sete Sermões aos Mortos" e, em especial, no famoso *O Livro Vermelho*. Essas obras demonstram que a receptividade de Jung à experiência numinosa era profunda e extensa. Por esse motivo, ele tem sido reconhecido por muitos como um verdadeiro *Homo religiosus*. Deve-se observar que os relatos de Jung compreendem predominantemente "experiências internas", como sonhos e visões, mas também outras de caráter mais externo que Otto descreve nas cartas acima citadas.

3

Um Conto de Iniciação e Individuação Plena

É frequente encontrarmos o princípio de individuação ilustrado com detalhes vívidos em obras da imaginação humana, como contos de fadas e mitos. Inserido nessas estruturas narrativas, deparamo-nos com um manancial impressionante de compreensão e intuição psicológicas, em especial sobre processos inconscientes e o grande esforço dedicado à busca por libertação e criatividade. Neste capítulo e nos dois próximos, voltarei minha atenção para esse recurso como guia para aprofundar e ampliar a discussão da individuação.

Tenho observado que os processos de individuação mais intensos começam às vezes com algo pequeno e de aparência inocente, como a curiosidade. Esse impulso aparentemente ingênuo pode levar ao que se poderia chamar de "iniciação por acaso" ou, em outras palavras, uma sincronicidade excepcional. É assim que começa o conto "A Serpente Branca", dos Irmãos Grimm. Um criado, curioso para saber o conteúdo da travessa tampada que levava para o rei todos os dias após o jantar, em certa ocasião retira a tampa com discrição e observa o conteúdo. Para sua surpresa, encontra uma serpente branca e de imediato resolve provar um pedacinho dela. Esse ato assinala o início definitivo da sua jornada de individuação.

Eis o conto na íntegra.

Em um passado distante, viveu um rei muito famoso por sua sabedoria. Não havia em todo o reino segredo que ele desconhecesse. Todos os dias, após o jantar, era seu hábito pedir ao criado de confiança que lhe trouxesse uma travessa tampada. Feito isso, o criado devia retirar-se da sala. Ninguém sabia o que havia na travessa, pois o rei só retirava a tampa quando estava sozinho.

Um dia, ao recolher o recipiente, sem aguentar mais a curiosidade que o remói, o criado leva a travessa para seu quarto, fecha a porta, levanta a tampa e descobre que há ali uma serpente branca. E, já que chegou a esse ponto tão arriscado, pensa não haver nenhum problema em prová-la. Assim, corta um pedacinho da serpente, coloca-o na boca, mastiga e engole. De repente, começa a ouvir vozes sussurrando pouco além da janela do quarto. São pardais, e estão falando sobre o que observaram em todo o reino na parte da manhã. O criado é então agraciado com a habilidade de entender a linguagem dos animais.

Nesse mesmo dia, a rainha perde seu anel mais valioso, e a suspeita recai sobre o criado de confiança, porque ele está autorizado a entrar em todos os aposentos do palácio. O rei o interpela e ameaça, dizendo que, se não apresentar o ladrão até o dia seguinte, ele será executado. Naturalmente, o criado se declara inocente, mas em vão.

É com o coração aflito que ele vai para o jardim, imaginando como se defenderá dessa falsa acusação. Ali ele entreouve alguns patos conversando baixinho enquanto alisam as penas e descansam ao lado do riacho. Eles falam sobre a refeição da manhã, e uma pata comenta:

— Alguma coisa está revirando meu estômago; estava comendo muito rápido e acabei engolindo um anel caído sob a janela da rainha.

O criado se dá conta de que ali está a ladra. Então agarra a pata e a leva para o cozinheiro, que, vendo a bela ave cevada que é, corta-lhe a cabeça e a prepara para o jantar, quando então encontra o anel da rainha. Com a descoberta, o criado é inocentado.

O rei se arrepende do erro cometido e quer se redimir de sua equivocada conclusão; assim, oferece ao serviçal a opção de escolher a posição que deseja ocupar na corte. Mas o criado recusa a oferta e apenas pede um cavalo e um pouco de dinheiro. Ele deseja explorar o mundo sozinho durante algum tempo. O rei atende ao seu pedido e ele se põe a caminho.

Depois de alguns dias, chega a um pequeno lago onde vê três peixes presos em uma touceira de juncos, agonizando por falta de água. Lastimam sua má sorte, mas as lamentações são ouvidas por nosso herói. Apiedando-se deles, ele os liberta e os devolve ao lago. Ao vê-lo retomar a estrada, eles gritam:

— Vamos nos lembrar de você e recompensá-lo por nos ter salvo.

Ele prossegue e, em pouco tempo, entreouve vozes baixas sob os cascos do cavalo. Detém-se para escutar e ouve o rei das formigas queixando-se do cavalo insensível, que pisa impiedoso em seu povo. O herói, então, desvia o cavalo e, ao afastar-se, escuta o rei das formigas dizendo-lhe em voz alta:

— Vamos nos lembrar de você — uma boa ação merece retribuição!

Continuando seu caminho, ele se defronta com um casal de corvos empurrando os filhotes para fora do ninho, dizendo-lhes que devem aprender a cuidar de si mesmos. Mas os pequenos corvos ainda são fracos e incapazes, não conseguem voar e caem no chão, onde crocitam desesperados, queixando-se de que vão morrer de fome. O bom homem, assim, cheio de compaixão pelos filhotes abandonados, desmonta, sacrifica seu cavalo com a espada e o deixa para que os pequenos se alimentem dele. Com gratidão, eles gritam:

— Vamos nos lembrar de você — uma boa ação merece retribuição!

E então o criado precisa prosseguir com as próprias pernas. Depois de percorrer uma longa distância, ele chega a uma grande cidade, onde se depara com um burburinho e dezenas de pessoas nas ruas. Ouve então o anúncio de que a filha do rei está à procura de um marido. Quem quiser conquistar sua mão deve passar por um teste rigoroso, e, se falhar, perderá a vida. Ele fica sabendo que muitos jovens já fracassaram. No entanto, ao ver a princesa, encanta-se com sua beleza e, apesar do sério risco que corre, apresenta-se como pretendente.

A difícil tarefa precisa ser cumprida. O rei o leva para o mar e joga um anel de ouro em meio às ondas. A tarefa consiste em recuperar o anel das águas agitadas; e mais: o pretendente será lançado de volta ao mar até recuperar o anel, de modo que ou encontra o anel, ou morre afogado. Aguardando na praia, perguntando-se o que lhe acontecerá, de repente alguns peixes sobem à superfície e são reconhecidos como aqueles que ele salvara. Um deles deposita um mexilhão a seus pés; quando o abre, ele encontra o anel. Com grande alegria, nosso herói leva o anel ao rei e pede sua recompensa.

A princesa é orgulhosa, porém, e não quer aceitar esse pretendente modesto, propondo uma segunda prova, mais difícil do que a primeira. Dessa vez, ela mesma a encaminha. No jardim, abre dez sacos de milho-miúdo e espalha as minúsculas sementes pelo gramado com as próprias mãos. Se o pretendente não recolher cada pequeno grão e devolver todo o milho-miúdo aos sacos até de manhã, ele será executado. Mais uma vez, o rapaz se sente impotente e fica imaginando o que será dele. Desanimado, passa a noite toda no jardim, mas, quando o dia amanhece, percebe que todos os sacos estão cheios, não restando um único grão no gramado. O rei das formigas viera com seus súditos durante a noite, recompensando assim o ato de bondade que ele tivera para com as formigas.

Ao dirigir-se ao jardim pela manhã, a princesa constata que a tarefa está cumprida, mas seu orgulhoso coração resiste e ela impõe uma terceira tarefa: se ele quiser se tornar seu marido, deve trazer--lhe uma maçã da Árvore da Vida. O pretendente não sabe onde encontrar essa Árvore, mas parte assim mesmo e vai até onde suas forças lhe permitem. Atravessa três reinos e, ao anoitecer de um belo dia, chega a uma floresta e deita-se sob uma árvore para dormir. Nos ramos acima dele, de súbito, ouve sussurros, e uma maçã dourada cai em suas mãos. Três corvos a acompanham voando e pousam perto dele, dizendo-lhe que eram aqueles que ele salvara sacrificando seu cavalo, e que, quando ouviram falar de sua busca por uma maçã da Árvore da Vida, atravessaram o mar até o fim do mundo, onde estava a Árvore, e voltaram com a maçã.

O pretendente leva a maçã dourada para a princesa, que agora não tem mais motivos para resistir. Eles cortam a Maçã da Vida em duas metades e a comem juntos. Assim, o coração da princesa se abre e ela se enche de amor por ele, e eles vivem felizes até uma idade avançada. Fim.[1]

Os Temas Interconexos da Curiosidade, do Conhecimento e da Catástrofe

A o se deixar levar por sua curiosidade ingênua, o criado projeta--se a uma nova fase de sua vida. De maneira inesperada, ele *sabe*. Um novo mundo se abre diante dele: ele entende a linguagem dos animais. Em outras palavras, entra em contato com seus instintos e um mundo que antes estava fechado, e assim oculto no inconsciente. Agora, de súbito, esse mundo se torna acessível.

É esse contato repentino e surpreendente com o inconsciente e o instinto que ocorre quando fazemos sexo, nos embriagamos ou ingerimos uma droga pela primeira vez. O que estivera disponível a terceiros, como os pais ou outros adultos, mas mantido a distância, fora de vista, atrás de portas, trancado em armários — proibido para menores de 18 anos! —, agora é também nosso, e compreendemos um pouco de algo de que até então não fazíamos a menor ideia. Não é a culminância do ato que é importante, porém, e sim a compreensão, a gnose. Trata-se de conhecimento por experiência, não por ouvir falar. E esse conhecimento muda tudo. Ele pode ser usado até mesmo independentemente da autoridade de terceiros.

O criado põe-se a caminho da individuação no instante em que ingere o alimento proibido. Trata-se de um ato de desobediência e, portanto, um risco. Ele poderia ser descoberto e punido. Mas é também seu primeiro passo rumo à consciência individual. Ele aproveita um momento oportuno e entra em um processo de iniciação à gnose. Caso não tivesse assumido o risco nessa direção, correria o risco inverso: de nunca individuar-se e de continuar sendo um servo leal e de confiança para sempre. O que há de tão ruim nisso? É uma situação que não leva a nada. É um beco sem saída. O risco de não correr o risco da individuação é a estagnação.

O ato de desobediência do serviçal é equivalente à desobediência de Adão e Eva com relação a Deus Pai no Jardim do Éden. Dando esse salto radical para o desconhecido, motivado por pura curiosidade, o servo quebra um tabu e renuncia ao seu papel de criado fiel. Ele age motivado por seu desejo individual de conhecimento.

O desejo de conhecer por vontade própria é uma força impulsora de individuação, uma força que se torna manifesta em muitos níveis da vida emocional e cognitiva. Não se trata apenas de sexo e prazer. Trata-se também de ciência. O impulso para o conhecimento nos separa daqueles que não conhecem e daqueles que não querem que conheçamos. Quanto mais você sabe, mais você se afasta do coletivo. Essa é a experiência de muitas pessoas na fase em que saem da infância e da adolescência. O impulso para o conhecimento e o impulso para o crescimento juntam forças contra o desejo de descansar, de não se arriscar e de se misturar à multidão. Mas é arriscado bisbilhotar por aí em lugares proibidos e aprender por experiência. Iniciado subitamente nos mistérios gnósticos da serpente, o criado anula a distância entre ele e o rei e sorve por si mesmo da fonte da sabedoria do rei. Com isso, liberta-se de sua dependência espiritual. Trata-se de algo semelhante ao ocorrido na Reforma protestante, quando cada crente se tornou um sacerdote com acesso direto a Deus. Agora o servo pode compreender por si mesmo o mistério dos poderes do rei, por isso não precisa procurar uma resposta do alto. Ele tem passagem livre para a mesma gnose que o rei. De modo bastante significativo, ele deixou de ser um serviçal. Transcendeu sua função em decorrência do conhecimento proibido.

Essa mudança precipita com rapidez outros acontecimentos, que por sua vez produzem uma transformação drástica em toda a situação. Quando a rainha perde o anel, ela investe às cegas e acusa o criado de confiança. O rei também se volta contra ele e se recusa a usar sua sabedoria superior para resolver o mistério do anel perdido. Agora a vida dele corre risco e é preciso encontrar uma maneira de se salvar. Tudo indica que o dom da gnose comporta dois gumes: causa separação e traição por parte daqueles a quem se serviu e oferece uma possível solução caso se conserve a presença de espírito para usá-lo.

Ao que tudo indica, esse estranho deslize no comportamento antes impecável do rei torna-se o ensejo para a liberação do criado. A desobediência do serviçal desencadeia um ato de projeção e traição inconscientes por parte de seus protetores parentais, e com isso o estado paradisíaco chega a um término abrupto. James Hillman oferece uma reflexão brilhante a respeito do potencial de individuação em catástrofes aparentes como essa em seu ensaio "Betrayal" [Traição]. A catástrofe parece ser um gatilho necessário para a individuação, como veremos também no conto de fadas analisado no próximo capítulo.

Quando o rei se convence da inocência do servo, ele tenta corrigir seu erro oferecendo-lhe uma posição ainda mais elevada em seu governo. Esse é um momento de decisão. O servo pode aceitar a oferta e continuar um serviçal, embora de nível mais elevado, ou pode assumir um risco extremo e partir. O risco de ficar com o rei implicaria, mais uma vez, uma possível situação-limite e eventual estagnação. O benefício seria certa segurança, embora essa seja uma proposição dúbia à luz da traição anterior do rei. Gato escaldado tem medo de água fria. O criado decide correr o risco da individuação e inicia sua jornada sozinho, com um pouco de dinheiro e um cavalo como retribuição pelos bons serviços prestados.

Naturalmente, ele também leva consigo a gnose que obteve da serpente branca. Embora não torne a comer da serpente — em outras palavras, ele não se tornou um viciado —, os efeitos de sua profunda iniciação na linguagem da psique instintiva permanecem com ele. Ele caiu em estado de graça. Paracelso deu a essa sabedoria o nome de *lumen naturae*, a luz da natureza, que é diferente da luz da revelação divina do alto (que encontraremos na próxima história, em que o espírito procede do alto e não de baixo). Como resultado de sua iniciação, o herói por fim alcança o sucesso, mas não sem outros testes e provações.

Mantendo a Consciência

E assim acontece que aquele a quem agora chamarei de herói da história, pois por se afastar do rei não é mais um servo, deixa o reino que lhe é familiar e assume as consequências do risco que aceitou. Agora ele é um agente livre, e daqui em diante agirá por conta própria. Agora ele é um indivíduo consciente, não um apêndice de outro. Agora sua jornada representa a continuidade da história de uma personalidade em processo de individuação. Em nossos dias, esse é o mesmo risco e sacrifício da dependência de uma pessoa ao sair de uma grande empresa na qual proteção e benefícios são abundantes, e fama e poder parecem acessíveis, mas ao preço da liberdade individual e da criatividade; ou de quando as pessoas se divorciam.

Se você se perguntar por que algumas pessoas assumem esse risco e outras não, é proveitoso lembrar-se desse conto de fadas e entender que o que ocorre pode muito bem depender do fato de determinada pessoa ter provado da serpente branca e ter descoberto a autoconfiança que essa conexão com o inconsciente propicia. Essa gnose pessoal vincula a pessoa à autoridade interior e ao instinto. O canal da intuição foi aberto. Tudo agora consiste em manter essa abertura para o inconsciente e permanecer consciente.

O dom da compreensão intuitiva não decepciona nosso herói quando ele parte com seu cavalo, pois em pouco tempo depara-se com três peixes emaranhados em juncos que lamentam a má sorte em que se encontram. Ele entreouve a conversa deles e entende aquele dilema, mas, mais importante do que isso, ele age com decisão com base no que ouve. Liberta os peixes e os devolve ao lago. Esse ato de compaixão se repetirá três vezes, e cada uma delas será mais extraordinária do que a precedente.

O primeiro é um ato importante de consciência. Indica que ele é capaz de manter sua relação consciente com o reino do mundo animal, ou seja, com os conteúdos do inconsciente à medida que estes se apresentam. Em um nível simbólico interior, os peixes representam sua libido inconsciente, e aqui ele demonstra a habilidade de se relacionar com essa dimensão com aceitação e entendimento. Ele pode fazer ajustes e manter-se saudável com relação à sua capacidade de usar a fantasia e a imaginação.

A consequência derradeira de ignorar ou negligenciar as lamentações dos peixes seria a esterilidade psicológica. Ele cairia na armadilha de se tornar um intelecto ressequido, sem contato com as fontes da imaginação e da criatividade. Poderia, no máximo, transmitir ensinamentos tradicionais. Para continuar sua jornada de individuação, ele precisa manter sua imaginação umedecida, como veremos mais adiante, quando esta lhe será bastante útil para estabelecer um relacionamento com a mulher que ele ama. O sucesso da *coniunctio* dependerá do contato com os peixes, o movimento espontâneo do inconsciente. Os peixes simbolizam o lampejo da intuição, que pode resolver a situação em um momento de provação.

A segunda demonstração de consciência se apresenta quando o herói entreouve o rei das formigas queixando-se de que os cascos do cavalo pisoteiam seus minúsculos súditos, e o herói age com rapidez, desviando o cavalo da trilha das formigas. Esse ato é significativo porque revela seu alto grau de sintonia com o corpo. Montadas no lombo elevado de um cavalo, quantas pessoas ouviriam a voz de uma formiga tão pequenina, lá embaixo? A cabeça está tão distante do corpo! São extraordinárias aqui a sensibilidade e a aguda consciência do herói. Significa que ele está em perfeita harmonia com os sinais mais sutis emitidos pelo sistema nervoso simpático. As formigas representam a capacidade do self de construir e recompor estruturas de contenção, imagem e sentimento cujas raízes se encontram muito aquém do alcance do ego-consciência. Aqui o herói demonstra que pode se relacionar com essa parte de sua natureza, que entrará em ação para protegê-la e não a negligenciará nem ignorará. Ele demonstra a qualidade da consciência corporal, sendo capaz de manter contato com o inconsciente somático.

O risco de ignorar as formigas é a possibilidade de acabar no excesso e não conseguir recuperar-se, nem física nem emocionalmente. Sem o elo com esse fator instintivo, a pessoa cai facilmente em uma espécie de inflação do ego, que acredita ser ele imortal e divino, não sujeito a limitações físicas. Há a tentação de forçar demais, de ir rápido demais e longe demais sem descanso; de negligenciar sinais do corpo e da alma, que avisam que a pessoa fez o suficiente, que necessita de um descanso, que precisa tirar férias. Subestimar, desrespeitar esses sinais somáticos e psicológicos, algo muito fácil de se fazer quando se está em movimento no alto de um cavalo e cheio de entusiasmo e ambições do ego, acabará resultando em esgotamento permanente. Em um ponto extremo, a pessoa não consegue mais se recuperar e a condição de fadiga física e mental se torna crônica. Essa situação destruirá a possibilidade de progredir com a individuação porque a energia e os meios de recuperação não estarão mais disponíveis. O sistema imunológico esgotou-se e não consegue se recompor.

Dos três atos de consciência, porém, o terceiro é seguramente o mais surpreendente. O herói entreouve um casal de corvos queixando-se dos filhotes e os vê empurrando-os para fora do ninho. Então ouve um dos filhotes gritar:

— Estamos totalmente desamparados! Temos de nos virar sozinhos, mas não conseguimos voar! O que podemos fazer, senão ficar aqui e morrer de fome?[2]

Assim, de maneira espantosa, ele desmonta, empunha a espada e sacrifica seu cavalo. Em seguida, passa a alimentar os pequenos corvos com a carne do animal abatido.

O que podemos pensar desse extraordinário sacrifício? Ele parece extrapolar todas as proporções. Aqui, com o objetivo de estabelecer uma relação com o espírito da pequena ave, o herói sacrifica uma parte importante de sua vida instintiva. Com os peixes, ele mantém contato com sua libido inconsciente e pode relacionar-se com ela espontânea e criativamente. Com as formigas, entra em contato com o inconsciente somático, as capacidades do si-mesmo de construir e recompor estruturas básicas de contenção, imagem e sentimento. Mas agora ele arrisca um sacrifício para entrar em contato com o lado espiritual do si-mesmo, e este é o maior e o mais dramático de todos os sacrifícios.

O risco de ignorar as aves é que ele não seria capaz de se relacionar com o mundo espiritual, uma relação que lhe é necessária para completar sua missão de individuação e chegar a uma *coniunctio* completa e profunda com o inconsciente arquetípico. É necessário um enorme sacrifício para percorrer toda a trajetória rumo à individuação plena; para alcançar o objetivo de se tornar a expressão mais absoluta do Si-mesmo, que se encontra no conjunto das capacidades de cada um. Esse sacrifício significa uma separação radical de identificação com o passado. O cavalo, emblema nesse conto da identidade anterior e da dependência com relação ao rei pai, também representa o reservatório de energia instintiva livre que o herói recebeu do passado para começar sua jornada de individuação. Ele era importante para o início da jornada, mas agora deve ser usado para outro propósito. Essa energia instintiva deve então ser dirigida para alimentar um novo desenvolvimento do espírito. O herói o sacrifica em favor de se relacionar com a atitude espiritual emergente. As aves são jovens e precisam de muita energia para seu sustento. Estão sem o apoio dos pais, impacientes e gananciosos — a atitude espiritual tradicional de querer as coisas por si sós.

O herói da nossa história parece entender que, para chegar ao fim dessa jornada, é preciso entregar-se por completo e dedicar-lhe toda a sua energia. Como disse Jesus, quem olha para trás não é digno de entrar no reino. Dizendo isso, ele convidava as pessoas a desenvolver uma atitude interior nova e radical para o futuro. Em nossos dias, esse convite significa assumir o risco de renunciar a tradições e tesouros herdados para criar um novo futuro espiritual para si mesmo e para a espécie humana como um todo. Não se pode alcançar esse objetivo com a atitude tíbia de dar um pouquinho aqui, um pouquinho ali. Ele exige a realização de um enorme sacrifício em prol de um novo símbolo.[3]

Provações Extremas

A terceira parte da história inicia-se com a frase: "E então o criado precisa prosseguir com as próprias pernas. Depois de percorrer uma longa distância, ele chega a uma grande cidade, onde se depara com um burburinho e dezenas de pessoas nas ruas".[4] O período de incubação e preparação do herói está concluído, e ele comprovou que consegue manter uma relação consciente com todas as dimensões do inconsciente, desde a somática (formigas) e psíquica (peixes) até a espiritual (corvos). Agora ele é lançado de volta à agitação da vida comunitária no mundo, onde encontrará novos desafios e oportunidades para aprofundar a individuação. Esses desafios colocarão à prova suas conquistas anteriores.

Ao entrar na ruidosa cidade, ele observa um grande tumulto nas ruas. Um mensageiro percorre todos os recantos anunciando que a filha do rei está pronta para se casar e que se unirá a qualquer pretendente que consiga realizar a tarefa que lhe for determinada pelo pai. Ele também fica sabendo que muitos já tentaram e fracassaram, e que o preço pelo fracasso é a morte. Não obstante, ao ver a princesa, fica tão fascinado pela sua beleza que aceita o risco e pede ao rei uma oportunidade para conquistar a mão da filha. Qual seria o resultado de evitar esse risco extremo envolvendo a própria vida? Mais uma vez: trivialidade, marasmo, falta de desejo e distinção, ambição reduzida e no fim estagnação e cessação do processo de crescimento. Mas o risco é alto, como tem sido, aliás, desde o início do conto. A vida nesse nível está no limite.

Enquanto a primeira parte da jornada do herói girou em torno da separação e da preservação da consciência, a segunda se inicia com o tema de uma potencial *coniunctio*, o casamento. Nesse ponto da jornada, o herói é arrastado com impetuosidade para a fase *coniunctio* do processo de individuação, cuja finalidade é levar à união dos opostos, consciente e inconsciente. Agora o tema será Eros. Esse é um grande passo adiante na abertura para o inconsciente, passando a conhecer sua linguagem e mantendo contato. A primeira iniciação à gnose levou a uma intensa fase de *separatio*, em que a identidade anterior foi dissolvida e abandonada, e se abriram novos potenciais para a consciência individual. O espelho foi limpo.

Então tem início uma fase relacionada à integração do consciente e do inconsciente e à formação de uma nova estrutura de identidade a que, seguindo Jung, me referi no primeiro capítulo como "função transcendente". A consolidação dessa nova estrutura como identidade consciente para a personalidade é o objetivo último da individuação. O que histórias como "A Serpente Branca" podem nos ensinar é algo sobre a natureza da individuação plena. Ela estabelece um objetivo que nos mantém orientados, mesmo que com frequência continuemos sem alcançá-lo.

Ao entrar nessa cidade, o herói se percebe em território novo e desconhecido. Essa dimensão, diferentemente da anterior (a de sua infância e juventude), permite que homens comuns cortejem a filha do rei e obtenham a herança decorrente do compromisso matrimonial. Da perspectiva psicológica, significa que a individuação plena é possível nesse caso. Tivesse ele permanecido na primeira dimensão, o máximo que poderia esperar teria sido tornar-se o maior entre os serviçais do rei. Nessa nova dimensão, ele mesmo pode chegar à realeza. Esse é um projeto totalmente diferente, e é por isso que é tão arriscado. Na configuração anterior, era possível chegar aos altos escalões, mas a pessoa sempre permaneceria em posição secundária; nesta, é possível tornar-se rei.

Nesse novo espaço, é bem possível tornar-se plenamente envolvido com as energias do que Jung chamou de Self (Si-mesmo). Mas, como é natural, o risco é enorme. A própria vida está em jogo. Em termos psicológicos, o risco é uma inflação tão extrema que o ego pode desaparecer (morrer) e a insanidade, prevalecer.[5] É isso que Jung encontrou em Nietzsche, que se identificou com o Self na imagem de Zaratustra.[6] Em parte para evitar essa catástrofe, mas também para se mostrar digno, o herói é posto diante de três provas, cada uma das quais podendo acabar em fracasso e morte. Se obtiver sucesso, receberá a coroa da glória e poderá se casar com a *anima* arquetípica, uma *coniunctio* que simboliza uma formação estável da função transcendente presente na psique. Esse é o objetivo último da individuação. As provas determinarão se o nosso herói está ou não de fato qualificado para tornar-se plenamente individuado, casar-se com a princesa (*anima*) e assim, enfim, tornar-se rei (na alquimia, esse estágio era conhecido como *solificatio*[7]).

O pai da princesa, o rei atual, aplica a primeira prova: ele joga um anel no mar e manda o pretendente recuperá-lo. Conforme se supõe, esse é o anel que unirá o herói à princesa se ele conseguir reavê-lo. O herói será lançado de volta ao mar até que retorne à superfície com o anel ou então morra afogado. Trata-se de uma prova rigorosa e difícil cujo objetivo é determinar a relação do pretendente com os peixes. Dispõe ele dos meios para recuperar o valor essencial do relacionamento (o anel) das profundezas turvas do inconsciente? Eis o teste, que mostrará se o herói é capaz de recuperar um símbolo de *coniunctio* quando esse símbolo corre o risco de se perder para sempre. Se sua relação com Eros e com a imaginação (os peixes) for inexistente ou inadequada, ele fracassará e se afogará na tentativa de encontrar o anel.

Existem muitas almas perdidas que fracassaram antes. Elas não conseguiram recuperar a *coniunctio* quando esta se ausentou da consciência. Elas perderam o contato para sempre, porque sua relação com Eros e a imaginação era insuficiente para recuperar o símbolo que poderia uni-las à *anima*. Parece que só algumas almas têm essa importante relação com o inconsciente, que as ajudará a recuperar o relacionamento de amor quando este é jogado no mar. O fato de ser o rei, e não a princesa, quem joga o anel no mar significa que o Self apresenta a prova. O Self vai fazer o valor submergir, e o ego individual será posto à prova para recuperá-lo com base na força do seu próprio Eros e na sua relação com o inconsciente. Se esta for sólida e confiável, ele vencerá. Nesse caso, o sacrifício feito antes pelo herói em favor dos peixes será recompensado. Antes mesmo de entrar na água, os peixes que ele resgatou sobem à superfície e depositam o anel a seus pés. Ele pode se apresentar ao rei como um pretendente bem-sucedido.

A princesa não está satisfeita, o que é desesperador. Ele deve enfrentar mais provas. Dessa vez, precisa juntar os grãos de milho-miúdo de dez sacos que ela espalha pelo jardim, e isso na escuridão da noite. Esse é um teste que envolve a habilidade de se recuperar de um estado de exaustão absoluta e de consumo de energias para o crescimento. Pode o herói recuperar-se quando é pressionado a tais limites? Virão em seu auxílio os poderes presentes sob a superfície da consciência? As núpcias precisam ser adiadas até que a princesa saiba que tipo de vigor e energia esse homem tem. Em última análise, trata-se de um teste de estabilidade e confiabilidade do seu contato com o Si-mesmo. Talvez apenas o rei das formigas, que simboliza o Si-mesmo em um nível psicossomático profundamente inconsciente, pode ajudá-lo.[8] O risco é esse pretendente não estar suficientemente bem conectado com esse nível da psique. Se não estiver, continuará disperso e nesse estado de caos e exaustão. Será incapaz de recuperar seu centro e o senso de equilíbrio. Ele não pode se tornar um rei no plano humano se não tiver o apoio do rei no nível somático instintivo. Sem isso, uma *coniunctio* plena é impossível.

Para a individuação, essa é uma prova decisiva. Significa que a pessoa em processo de individuação está sujeita a uma noite escura da alma e deve passar pelo desespero e pela variante mais extrema de energia dispersa para reassumir uma forma plena e contida. Ela precisa ser capaz de recuperar sua capacidade de contenção. Nessa fase de provações da individuação, o rei das formigas e seus súditos vêm auxiliar no resgate. A atitude positiva demonstrada antes pelo herói para com as minúsculas formigas retorna agora como um dividendo: elas recolhem os grãos espalhados em meio à escuridão mental, à ansiedade e à depressão. Mais uma vez, nosso herói passa no teste. Ele tem uma relação sólida e confiável com a força centradora psicossomática do Si-mesmo. Está estável. A compaixão que mostrou antes é recompensada de modo integral. Ele está saudável, física e emocionalmente, porque cuidou muito bem das forças que podem reparar e sustentar seus nervos esgotados e sua estrutura psicossomática exaurida.

Resta mais uma prova para verificar se o pretendente está apto para conquistar a mão da princesa. Parece que ainda não há garantia total de que ele tenha tudo o que é necessário para uma individuação plena. Assim, a princesa exige uma terceira prova: para obter sua mão em casamento, o pretendente deve trazer-lhe uma maçã da Árvore da Vida. Esse é o teste de sua capacidade espiritual para ir além da dimensão espaçotemporal e adentrar a eternidade. Sem saber que direção tomar, ele apenas se põe a caminho para encontrar a Árvore da Vida, e nessa busca passa por três reinos. Não hesita em se colocar inteiramente à disposição da tarefa, apesar de sua ignorância a respeito do que ela implica.

Sabemos que essa Árvore está no mítico Jardim do Éden, o Paraíso, cujas portas estão trancadas para sempre, mas ele não sabe disso. Se soubesse, talvez se desesperasse ainda mais, porque tudo indica que a tarefa é impossível. Ela implica transpor os limites do potencial humano rumo a um reino celestial reservado a seres espirituais que vivem o próprio espaço transcendental além da psique humana. Enfim, ele chega a um ponto em que se deita sob uma árvore para dormir, e eis que a solução o alcança. Ele ouve um farfalhar de folhas e galhos, e uma maçã dourada cai em suas mãos. Três corvos aparecem, os mesmos pelos quais ele sacrificara seu cavalo, e lhe dizem que se lembraram da dívida que tinham para com ele. Quando ouviram falar do dilema em que ele se encontrava, voaram até os confins do mundo, onde se encontra a Árvore da Vida, e lhe trouxeram a maçã.

A exigência da princesa de uma maçã da Árvore da Vida estende sobremaneira o projeto de individuação para além das duas provas anteriores. O pedido de uma maçã da Árvore da Vida e a maçã dourada trazida pelos corvos dos confins do mundo combinam duas referências: uma ao mito grego das Hespérides e outra à Bíblia. A maçã dourada deriva do jardim das Hespérides, que se imaginava existir "além das montanhas Atlas, na fronteira ocidental do Oceano".[9] A deusa Terra deu essa árvore a Hera por ocasião das suas núpcias com Zeus, e por isso ela nos remete ao clássico *hierosgamos* ("matrimônio sagrado") entre Hera e Zeus. Apenas o maior dos heróis gregos, Héracles, conseguiu passar por Ladão, o dragão que guardava a árvore, e colher algumas maçãs. Sendo douradas, elas simbolizavam a imortalidade.

No nosso conto, essa associação com o mito grego combina com o mito bíblico da Árvore da Vida no Jardim do Éden:

> O Senhor Deus plantou um jardim no Éden, na direção do Oriente, e colocou nele o homem que havia criado. O Senhor Deus fez brotar da terra toda sorte de árvores, de aspecto agradável, e de frutos doces para comer; e a árvore da vida no meio do jardim, e a árvore da ciência do bem e do mal.[10]

A Árvore da Vida é símbolo da individuação na alquimia,[11] e na Bíblia é mencionada no último livro do Novo Testamento, o Apocalipse, como uma promessa de cumprimento no fim dos tempos: "Ao vencedor darei a comer do fruto da árvore da vida, que se acha no paraíso de Deus".[12] Ela tem também um significado político importante nesse mesmo livro, onde está escrito: "Mostrou-me então o anjo um rio de água da vida resplandecente como cristal de rocha, saindo do trono de Deus e do Cordeiro. No meio da praça e às duas margens do rio, achava-se uma árvore da vida, que produz doze frutos, dando cada mês um, servindo as folhas da árvore para curar as nações".[13] Isso significa que a Árvore da Vida está lá não só para a alma individual, mas também para a alma política e a cura da alma do mundo. A individuação se torna um processo político, pois afinal de contas um rei é uma figura política que, para o bem ou para o mal, detém o poder sobre seus súditos. *Solificatio* não é só para o indivíduo, mas para toda a comunidade — na verdade, para o mundo inteiro. Assim, esse conjunto de referências mescla a profunda dimensão intrapsíquica e espiritual da individuação com a dimensão interpessoal e política.

Não é desprovido de sentido o fato de serem precisamente corvos que trazem a maçã dourada para o nosso herói. A cor preta dos corvos contrasta com a imagem da serpente branca do início do conto. Corvos, assim como serpentes, são ambíguos do ponto de vista simbólico. Podem significar pestilência, azar e morte; também pais cruéis, como vimos um pouco antes na história. Mas eram também associados a divindades como Mitra e Apolo, cujas principais associações são com o Sol. Na história que vimos, têm clara tendência positiva, no sentido de que é tão somente por meio da ação deles que o herói é capaz de completar seu processo de individuação. É justamente porque estabeleceu uma forte relação com eles antes na história, mediante seu extraordinário sacrifício, que ele consegue completar a tarefa da individuação. A princesa o põe à prova com a última tarefa impossível, que consiste em verificar se ele está ou não em suficiente contato com o espírito para transcender os limites da psique. Tem ele condições de se envolver com o aspecto espiritual do Si-mesmo tão bem como se envolveu com os aspectos relacional e psicossomático, a fim de introduzi-lo na vida cotidiana? No fim, ele se mostra capaz de ser um mestre espiritual.

Agora o pretendente sabe que conquistou a princesa, e, quando ele lhe entrega a maçã dourada da Árvore da Vida, ela não tem mais dúvidas sobre sua aptidão em ser seu parceiro matrimonial. Ele lhe conquistou o coração e a fé. Eles cortam a maçã em duas metades e a comem juntos, e esse ato sela a união entre os dois, tornando-a permanente.

Sempre nos perguntamos a respeito desses belos finais dos contos de fadas. Stephen Sondheim escreveu seu sucesso na Broadway, *Into the Woods*, com base na premissa de que algo mais deve acontecer depois do "e eles viveram felizes para sempre". Mas eu penso que temos de nos relacionar com o conto como um todo e com seu final como um símbolo. O final não é um acontecimento concreto na história. É um sinal, conforme Jung se expressou a respeito da experiência numinosa. A vida como a conhecemos estará sempre sujeita a degeneração e desintegração, e nós estaremos sempre na jornada para a individuação. Nunca chegaremos lá de modo permanente. A individuação sempre será um objetivo a se alcançar. O final do conto de fadas é diferente. Nele o objetivo é atingido, e o estado de integração obtido é estável e permanente. Essa realização simboliza um processo no inconsciente, evidenciando padrões que se formam em segundo plano e que se manterão para sempre obscuros e misteriosos.

4

Quebra do Encantamento

Às vezes, a história da individuação começa com um "big bang", uma "grande explosão" — morte, perda, a passagem dramática e repentina a um estado de desorientação e confusão. Esse momento marca o início da jornada para a liminaridade e eventualmente para a transformação. Assim acontece para a jovem que se torna a heroína do conto dos Irmãos Grimm "A Velha do Bosque". Nesse conto, o segredo da individuação consiste em escolher a simplicidade. O problema é o encantamento, a condição de enfeitiçado, e a tarefa é conscientizar-se do estado de possessão.

A protagonista da história é uma jovem pobre, também criada, de novo uma figura marginal que se sobressai e se torna a heroína da narrativa. A história começa com a jovem viajando com a família a quem servia, quando ladrões assaltam e assassinam a todos, menos a empregada. Ela foge usando de astúcia, mas logo se vê sozinha no meio do bosque e, como é evidente, apavora-se. Não há ninguém a quem pedir ajuda e ela teme por sua vida. Ao cair da noite, recosta-se no tronco de uma árvore e se põe nas mãos de Deus. Depois de algum tempo, uma pomba branca se aproxima com uma pequena chave de ouro no bico. A ave diz para a jovem abrir uma fechadura encravada na árvore que lhe serve de apoio, pois ali encontrará comida em abundância e não precisará mais passar fome. Obviamente, seguidas as instruções, a árvore se abre e dentro dela a jovem encontra leite e pão branco em quantidade suficiente para se alimentar.

Em seguida, ela deseja uma cama. A pomba volta com uma segunda chave e lhe diz para abrir outra árvore, pois nela encontrará uma cama confortável. Ela obedece e encontra uma cama macia e acolhedora onde deitar, podendo então descansar com segurança e conforto durante toda a noite. De manhã, a pomba retorna pela terceira vez com outra pequena chave e diz à jovem para abrir a porta de outra árvore, onde encontrará roupas. Ao fazê-lo, depara-se com vestes preciosas revestidas de joias e ouro, mais esplêndidas que as de uma princesa. Essa situação se prolonga por algum tempo, com a pomba branca aparecendo todos os dias e provendo à jovem tudo de que ela precisa ou pede. "Era uma vida boa e sossegada", diz o texto.

Então, certo dia, a pomba pede um favor à jovem, que concorda sem hesitar. A pomba lhe diz para seguir uma trilha que leva a uma pequena casa bosque adentro. Ela deve entrar na casa, onde encontrará uma velha, que a cumprimentará com grande amabilidade. No entanto, ela não deve se dirigir à velha de modo algum. Deve, sim, ignorá-la, passar por ela e entrar em uma sala contígua, onde verá muitos anéis expostos. Ela deve pegar o único anel simples que lá está e trazê-lo para a pomba branca, que estará à espera junto à árvore. A jovem segue as instruções da pomba, fazendo exatamente o que deve ser feito. Entra na casa e evita falar com a velha que a acolhe. Ao se dirigir para a segunda sala, precisa enfrentar a velha, que tenta impedir-lhe a passagem. Mas a jovem consegue passar e entra na sala, onde vê muitos anéis, todos belos e ornados com primor. Ela não se fixa neles e se põe a procurar um anel bem simples, mas em vão; só consegue localizar anéis de grande beleza. De repente, percebe a velha esgueirando-se pela porta da casa, levando uma gaiola. A jovem corre, toma-lhe a gaiola e, ao olhar dentro dela, vê um pássaro com um anel comum no bico. Ela pega o anel e se dirige às pressas para a árvore indicada pela pomba.

Ao chegar ao local, a jovem não encontra a pomba branca. Encosta-se na árvore e fica esperando. Passado algum tempo, percebe que a árvore começa a se mexer. Os galhos se inclinam em torno dela e aos poucos se transformam em dois braços humanos. Ela olha ao redor e vê que esses braços são de um belo jovem, que agora a abraça. Ele a beija e lhe diz:

— Você me salvou e libertou do poder da velha. Ela é uma bruxa má e havia me transformado em árvore. Todos os dias, durante algumas horas, eu era uma pomba branca. Enquanto ela estivesse de posse do anel, eu não conseguiria recuperar minha forma humana.

Então os criados e cavalos do jovem também se libertam do encantamento. Ele conduz a todos para o seu reino, onde se casa com a jovem, e eles vivem felizes até o fim dos seus dias.[1]

Assim como o criado de "A Serpente Branca", que considerei um herói da individuação no capítulo precedente, a criada desse conto é uma heroína da individuação cuja história exemplifica vários momentos decisivos no processo de individuação das mulheres. O processo aqui, porém, começa com uma perda inesperada e grave. A violência a priva de seu sustentáculo e ela se encontra na escuridão, em um bosque, sem meios, sozinha no mundo. Como não há mais um senhor ou mestre que lhe diga o que fazer, ela está livre para se tornar uma nova pessoa. Ela perdeu sua identidade de criada. Ao contrário do herói de "A Serpente Branca", ela não escolhe essa condição. Trata-se de um fato que simplesmente lhe acontece. Com toda probabilidade, ela jamais teria feito essa escolha por livre vontade, pois não foi treinada para ser heroína. Muito pelo contrário: ela recebeu a identidade de uma criada. Tampouco tem o dom da confiança que o herói de "A Serpente Branca" tinha em virtude de sua iniciação na gnose da natureza. Ela acaba sozinha, sem praticamente nenhum recurso, e assim faz a única coisa em que consegue pensar: põe-se nas mãos de Deus. Ela entra em seu interior em um ato de fé e confiança cegas, sem a menor noção da espécie de ajuda que poderá acudi-la. Não há expectativa específica, nenhuma oração por isso ou aquilo, nenhum conteúdo para suas preces. E eis que uma resposta surge do nada. Uma pomba branca aparece com uma chave de ouro no bico. Onde está ela, a heroína, perguntamo-nos, considerando a ocorrência de tão singular sincronicidade?

A pomba branca é um símbolo clássico do espírito — do Espírito Santo na imagética cristã, mas também, de modo mais geral, do Espírito em si. Falarei da pomba como *animus*, mas é preciso entender que o Espírito/*animus* não está de modo algum contido nas categorias insuficientes e inadequadas de intelecto, pensamento ou outras noções desgastadas de *animus* que por vezes são lançadas a esmo. Ela tem a ver com o Divino, com a espiritualidade, com o Logos (a Palavra), e com a polaridade de matéria e espírito. Outras considerações elucidarão esse aspecto mais adiante.

Mas abordemos a essência da história: a figura do Espírito aparece no momento em que a heroína volta-se para seu interior, mas isso só acontece quando o patrão, o mestre, a autoridade externa não está mais presente para lhe dizer o que fazer. Ocorre também no momento da crise mais profunda, quando ela se sente totalmente perdida. Para chegar ao lugar onde uma sincronicidade dessa natureza pode acontecer, ela precisa se perder no bosque, pois é lá que a pomba branca vive. Enquanto vivia em uma posição estruturada e exercia sua função, ela se encontrava bem longe do espaço onde esse encontro poderia ocorrer. Antes havia autoridades externas a quem se dirigir, e a criada nunca teria sequer pensado nem necessitado procurar orientação em outro lugar. Contida pela proteção e autoridade dessas figuras, quando muito teria projetado o Espírito nelas. Jamais lhe teria ocorrido olhar para dentro de si mesma; jamais teria sentido a necessidade de pedir alguma coisa por iniciativa própria. Não lhe teria ocorrido consultar os próprios recursos espirituais. Como serviçal, não havia espaço em sua vida para uma ação dessa natureza.

Enquanto a identidade com determinada *persona* perdura — seja ela criada, filha, mãe, esposa ou rainha —, o imperativo da individuação permanece latente. A jornada da individuação só tem início quando há um rompimento, e a função deixa de existir. No bosque, envolta pela escuridão, o que mais pode ser feito? Ela revela sua índole não se deixando dominar pelo medo nem pela ansiedade. Por outro lado, é levada a esse gesto de fé. E então a resposta vem — o sonho, a intuição inspirada, o encontro sincrônico, a chave. Ela entra em contato com algo muito surpreendente e estranho levando em conta sua experiência anterior.

Por algum tempo, esse espírito interior a protege. Ela tem comida, pode descansar com conforto no bosque e tem acesso a vestes elegantes. É uma vida sossegada e boa. Mas esse é apenas um período de descanso e recuperação. É uma espécie de lua de mel com o espírito do inconsciente, uma experiência a ser desfrutada e saboreada. O dia amanhece, porém, e ela é compelida a agir e encarar o desafio da jornada heroica, embrenhando-se no bosque com seus perigos aterradores. Ela precisa enfrentar um demônio que não faz outra coisa senão atormentar — a bruxa. Por que o vilão não é um homem? Esse detalhe sugere que estamos diante de uma mulher que, afinal, consegue controlar o interior de outra. Homens podem comprar e vender mulheres, tratá-las bem ou mal, mas o que de fato anestesia o *animus* de uma mulher é a mãe. Não a boa mãe, a mãe nutriz e amorosa, a mãe atenta e cuidadosa, mas a mãe que negligencia, que silencia quando a filha é física ou emocionalmente agredida, que não enfrenta o homem que diz à filha que ele gosta de ver as mulheres de joelhos.

Essa é a mãe que reuniu uma grande quantidade de anéis caros, que os acumula e que mantém o próprio *animus* fechado em uma gaiola. Ela transformou seu *animus* em um papagaio e insiste em fazer a mesma coisa com a filha. A mãe molda a filha, e a luta crucial da filha consiste em se libertar de uma identidade com a mãe interior controladora. Ao tomar a gaiola das mãos da bruxa, a heroína assume o comando sobre a própria vida. Como uma amiga, muito perceptiva, me disse: "Para mim, o momento na história em que ela se torna sua própria heroína é quando age por iniciativa própria e arranca a gaiola das mãos da bruxa. Esse é um ato que ela pratica sem instruções prévias: ela está no momento: ela age. Todos os atos anteriores a esse são predeterminados".[2] Esse é o ponto de inflexão na história.

O próprio *animus* da heroína quer voltar à vida. Essa parece ser a força impulsora implícita na jornada de individuação da heroína nesse ponto. Ele quer se tornar consciente e disponível a ela; quer se tornar humano e entrar em relação consciente com ela. E assim passa-lhe as instruções necessárias, que ajudam a libertá-lo do feitiço que o atormenta. Estando livre, assume o compromisso de casar-se com ela. O conto não diz o que acontece em seguida, mas sabemos que, se ele é um príncipe, um dia será rei, e, sendo rei, ela será rainha. A jovem doméstica torna-se rainha. E rainhas podem falar, podem expressar o que pensam. Podem definir o tom da cultura para as mulheres que nela vivem e representar o feminino para todos. Assim, sabemos que a jovem doméstica/rainha está agora livre para soltar a voz, para dizer o que pensa, para contribuir com os projetos voltados para a criação de símbolos da cultura. Ela será companheira e colaboradora.

Essa transformação do ego da jovem criada na autoridade de uma rainha resulta do contato com o *animus* interior e de sua redenção. Nessas circunstâncias, o *animus* comunica-se com o instinto criativo e a mulher pode se tornar espiritualmente criativa. Ela tem autoridade interior.

O que fazer para que isso aconteça? Primeiro, a mulher precisa se livrar de sua *persona* de criada em sua própria autoimagem, em sua identidade. Ao libertar-se, porém, ela fica confusa com relação a si mesma e ao seu valor. Se ninguém precisa de seus préstimos, que serventia tem ela? Tem ela algum valor? Não é muito fácil deixar de ser uma criada, uma cuidadora.

Segundo, ela precisa voltar-se para dentro de si mesma. Precisa fazer suas preces e esperar uma resposta. A resposta pode vir como um sonho, uma intuição, um pensamento, uma ideia nova ou antiga, ou por meio de uma sincronicidade. E ela precisa deixar esses acontecimentos interiores nutri-la durante algum tempo antes de tomar qualquer iniciativa e agir. Esse é um período de incubação. Ela está grávida de si mesma. Está sozinha com seus pensamentos, suas imagens, sua vida interior. Ela desenha seus sonhos, mantém um diário, pratica a disciplina de ser para si mesma e não para os outros. Aprende a dar ouvidos a si, começa a descobrir como seus pensamentos se manifestam, como são diferentes e únicos para ela. Ela encontra a própria voz.

Em seguida, ela precisa enfrentar a parte de sua natureza que trocou a integridade pela dependência e quer permanecer nesse estado. Esta é a bruxa que pode seduzi-la caso comece a falar com ela. A bruxa é uma tentação perigosa. Uma parte da jovem não quer abandonar o antigo sonho de encontrar um homem que cuide dela, um homem a quem possa apenas se entregar e com quem se sinta protegida e segura com seus belos anéis de diamante. Ela precisa enfrentar a dependência que observou na mãe, o medo nos olhos da mãe, o medo de toda mulher que encara a vida sozinha e sem a proteção de um homem forte ao seu lado. Precisa enfrentar seu anseio mais profundo de segurança e dependência, e precisa dizer não a esse anseio. Precisa arrancar o anel desse anseio, arrebatar seu poder e sua magia. Ela precisa tomar o anel do poder nas próprias mãos.

E depois ela precisa levar esse anel para seu *animus*, seu espírito interior e vínculo com o Divino. Significa que ela precisa assumir um compromisso fundamental com o espírito dentro dela, segui-lo para onde ele for; honrar, amar e mesmo obedecer-lhe; abandonar tudo o mais por ele. Esse é o significado do anel. É um anel simples, como uma simples aliança de casamento, que representa um compromisso para toda a vida com esse relacionamento, na saúde e na doença. E, uma vez concluído todo esse trabalho, ela está preparada para ser espiritualmente criativa.

Agora ela pode dar à luz novas imagens do espírito, novas formas de amar e valorizar a alma, novos sentidos para a própria história e para a História coletiva. Ela pode nutrir-se desse relacionamento em seu coração; ele a alimentará e inspirará, e a orientará em seu trabalho de vida. Esse relacionamento lhe possibilitará tornar-se independente do que outras pessoas pensam e querem dela; se tiver um grande sonho, ela será forte e livre para ir atrás dele. Seu senso de valor virá da atitude de servir a esse espírito de criatividade, e não de servir aos caprichos tolos dos egos infantis que a rodeiam.

Deparo-me cada vez mais com esse tipo de mulher hoje em dia. Vejo-a em reuniões de pessoas dedicadas à psicologia; vejo-a pregando no púlpito; vejo-a em minha prática analítica debatendo-se com seus sonhos e tomando decisões difíceis. Vejo-a enfrentando as leis injustas do seu país e vejo-a escrevendo livros intensos e produzindo arte de um modo cativante. Vejo-a divorciando-se, trabalhando e criando os próprios filhos. Vejo-a ensinando. Ela é um novo ser, de espírito vibrante, a criatividade fluindo em todos os níveis. Observando essa mulher, vejo uma pessoa plena. Ela percorreu e continua percorrendo sua jornada, dia após dia, sempre rumo à plenitude.

5

O Confronto com os Complexos — Pessoais e Culturais

A história da individuação de cada pessoa é única e irrepetível. Portanto, não existem receitas para a individuação. Como a magistral Von Franz afirma de modo categórico: "O processo de individuação é *per definitionem* algo que só pode ocorrer a um ser humano individual, e sempre assume uma forma singular".[1] Muito depende de onde começamos, das características da família, de nossa história pessoal ao longo da infância em um tempo e lugar específicos, de influências sociais e culturais, e dos padrões que predominam nesse ambiente. Em seguida, temos todas as casualidades e sincronicidades que moldam a jornada de uma vida. No fim, cada um de nós cria uma história única, repleta de contradições e polaridades internas que resolvemos ou não até o momento da morte. Não obstante, existem também padrões gerais de individuação: os temas e processos arquetípicos. Como diz Von Franz, em acréscimo à afirmação acima: "[...] embora seja um evento único em um ser humano singular, ela [isto é, a individuação] apresenta certas características típicas recorrentes que se repetem e se assemelham em todo processo de individuação".[2]

Do ponto de vista teórico, poderíamos pensar que os dois movimentos da individuação, *separatio* e *coniunctio*, como os descrevi nos capítulos anteriores, são totalmente naturais e gerados de modo espontâneo pela vida psicológica em si, baseados que são em processos arquetípicos inerentes à psique humana. Esses movimentos ativam-se simples e naturalmente ao se viver uma existência assentada em terreno firme, acompanhando as mudanças que ocorrem na consciência, suplementadas por sonhos, intuições e sincronicidade. Mas o que é "natural" para o ser humano? Cada um nasce e cresce em uma família e cultura específicas, ambas com uma longa e complexa história de conflitos particulares a cada uma. Os indivíduos herdam seus complexos familiares e culturais, como também as possibilidades arquetípicas da psique, e cada pessoa deve individuar-se dentro de fronteiras sociais e culturais bem singulares e limitadas. Não somos filhos da natureza apenas, mas também criaturas da cultura. A herança genética humana oferece certo potencial para a individuação, em maior ou menor grau nos variados casos, mas ela não institui nem executa seu programa automaticamente, sem influência e sustentação culturais. Natureza e sustentação devem cooperar para produzir um resultado favorável. Isso se aplica de modo especial aos aspectos sutis e matizados do desenvolvimento psicológico, como os que examino nesta obra, os quais, mais do que o desenvolvimento físico, são influenciados por padrões da matriz social e cultural em meio à qual uma pessoa se desenvolve e vive.

É correto dizer que a maioria das pessoas vive uma infância e juventude muito aquém do ideal. A individuação acontece, portanto, em um contexto conturbado e eivado de complexos. O deus grego Hefesto representa com exatidão um caso assim. E, como deus, ele também faz referência a um padrão cultural específico na sociedade patriarcal ocidental, um tema no qual gostaria de me aprofundar neste capítulo. Sua história é a narrativa de um processo de individuação com defeitos congênitos e ferimentos psicológicos acumulados desde a tenra infância, uma história com muitas implicações e aplicações de caráter geral.

A História de um Deus Grego
Ferido e Defeituoso

Hefesto (Hefaístos; Vulcano para os latinos) é um deus grego associado a todos os que trabalham com metais — ferreiros, metalúrgicos, arquitetos e outros artesãos desse setor. Como um deus defeituoso, pois teria nascido coxo, ele é uma anomalia e uma espécie de forasteiro no Olimpo, apesar de ser reconhecido como membro da família patriarcal chefiada por Zeus e Hera. Trata-se de uma criança ferida e marginalizada em uma família em que o embate feroz de vontades antagônicas entre os pais é crônico e insolúvel. Como Hefesto não é um ser ideal nem perfeito, podemos nos identificar com ele com mais facilidade e ver em sua história um espelho da nossa própria. Entre os deuses gregos, ele talvez seja o mais humano, pelo menos nesse aspecto. A individualidade, enfim, depende da imperfeição, não da equiparação a um ideal.

Segundo a narrativa que chega até nós, com elementos de várias fontes, a deusa grega Hera, infeliz em seu casamento com Zeus, o chefe incontestável da família olimpiana, criou Hefesto partenogeneticamente, motivada pelos ressentidos aborrecimentos com o marido. Seu ódio a Zeus devia-se ao fato de ele ter gerado Atena em sua cabeça. Esse ato de independência radical a enfurece porque representa um desvio e uma afronta à função maternal dela própria e das mulheres em geral. Na seguinte passagem do hino homérico "A Apolo", ela dá vazão à sua cólera:

"Deuses todos e todas as deusas, ouvi-me e vede
como Zeus, o reunidor de nuvens, começa a me desonrar,
antes, fazendo de mim sua virtuosa esposa;

agora, sem meu concurso, dando à luz Atena, a de olhos cinza,

excelsa entre todos os bem-aventurados imortais.

Mas meu filho Hefesto, que eu mesma gerei,

nasceu fraco e coxo entre os abençoados deuses.

Por isso, com minhas próprias mãos, eu o lancei no imenso mar".[3]

Primeiro ele me rebaixou casando-se comigo, lamenta Hera, e depois me insultou gerando ele mesmo a maior de todas as deusas gregas, Atena. Como vemos, os pais arquetípicos, Hera e Zeus, símbolos do feminino e do masculino na cultura grega, são muito competitivos, e seus filhos acabam sendo simples peças no jogo de poder deles.

Sem dúvida, Hera estava tomada de ciúmes em consequência de mais um caso amoroso de Zeus. Dessa vez, a aventura se deu com a ninfa Métis, que, depois de engravidar de Zeus, foi por ele devorada devido a um vaticínio nefasto de que seu filho o destituiria do régio trono do Olimpo. Essa é uma angústia da paternidade profundamente arraigada no mito patriarcal. Freud captou essa angústia na caracterização do complexo de Édipo. Ela já se revelara no avô de Zeus, Urano, e em seu pai, Cronos. Ambos foram de fato destronados pelos filhos, que lutaram e destruíram seus pais, não (como preferia Freud) para conquistar a mãe, mas por simples questão de sobrevivência. Zeus, por outro lado, livrou-se com astúcia da ameaça engolindo a mãe de Atena e gestando o feto no próprio corpo. Assim, Zeus vinculou Atena a ele, e ela se tornou a clássica filha do pai, a imagem mental da mulher patriarcal. Ao saber disso, Hera se sentiu ultrajada e se vingou dando à luz sem a participação de um parceiro varão.

Porém, Hefesto nasce com um grande defeito. Suas pernas são deformadas. Com repugnância, Hera o rejeita e o arremessa do

Olimpo. Ele cai no mar, onde as ninfas Tétis e Eurínome o recolhem e lhe dedicam cuidados. Mais tarde, quando Tétis se dirige a Hefesto com o pedido urgente de forjar um escudo invisível para seu filho Aquiles, o deus artesão dá seu testemunho:

"Ela me salvou quando muito padeci após a longa queda
devida à vontade de minha indigna mãe, que queria
esconder-me por eu ser coxo. Minha alma, então,
teria sofrido muito,
se Eurínome e Tétis não me tivessem resgatado e
abrigado,
Eurínome, filha de Oceano, cuja corrente circunda a
Terra.
Com elas trabalhei nove anos como ferreiro e forjei várias joias admiráveis; broches e pulseiras, fivelas, taças e colares, dentro de uma caverna. Em torno de nós, fluía incessante a corrente do Oceano com sua espuma e murmúrios. Ninguém mais entre os deuses ou entre os mortais sabia disso, a não ser Eurínome e Tétis. Elas sabiam, pois me haviam salvo".[4]

É importante observar que a criança Hefesto foi nutrida e recebeu cuidados maternais dessas amas-secas. Ele é como a criança que encontra carinho maternal fora de casa e recolhe-se em um espaço interior onde possa se abrigar dos conflitos e rejeições que se entrechocam em sua cabeça. Ele se esconde durante a infância e se entretém com fantasias. Mais tarde, sua raiva se revelará, tal como deveria. Caso isso não aconteça, desenvolvem-se outros tipos de problema, os quais já foram muito bem descritos na literatura analítica (penso de modo particular nas proveitosas descrições de Donald Kalshed em seu trabalho com pacientes de traumas precoces severos[5]).

Além da abrupta e implacável rejeição da mãe, Hefesto foi também maltratado pelo pai, o trovejante Zeus. Ele foi lançado do Olimpo uma segunda vez, depois de tentar defender sua horrível mãe dos golpes do irascível esposo.

> "Houve um tempo antes, quando tentei acudir-te,
> em que ele me agarrou pelo pé e me atirou para fora
> do limiar divino,
> rolei indefeso durante todo o dia, e pela hora do
> pôr do sol
> fui dar em Lemnos, com pouca vida ainda me restando.
> Após a queda, os síntios cuidaram de mim."[6]

Estamos diante do retrato de uma família profundamente desestruturada, em meio à qual essa criança com imperfeição física cresce. Arremessado duas vezes do palácio familiar, Hefesto é produto e vítima do conflito implacável entre Zeus e Hera, da sizígia divina da Grécia clássica e dos representantes coletivos do Pai e da Mãe, do Marido e da Mulher. Nessa configuração familiar patriarcal, a orgulhosa mãe exaspera-se por se encontrar sob a mão dominante do pai, e o pai é irascível e explosivamente agressivo quando afrontado.

A história de Hera é em si mesma um conto de cólera e fúria. Uma Grande Deusa nos tempos primitivos, seu casamento forçado com Zeus representou um rebaixamento radical de posição e *status*. Segundo o mito, Hera é mãe de dois outros filhos além de Hefesto, os três concebidos partenogeneticamente, pelo mesmo motivo da ferrenha competição com Zeus: Ares, deus da guerra, amante do conflito armado e da destruição, e que reflete a agressividade impulsiva de Hera; e Tifão, um indício ainda mais selvagem da ira cega de Hera. Tifão é um monstro psicopata a quem Hera encarrega de vigiar um dragão-fêmea que atormenta os mortais e a quem Zeus acabará precipitando no Tártaro (Inferno).

Dos filhos de Hera, todos, de algum modo peculiar, têm traços patológicos ou alguma deformidade, cada um representando um sintoma de doença na cultura grega. Como complexos em nível individual, essas figuras míticas, em nível cultural coletivo, expressam uma história traumática de conflito crônico. Isso nos indica como os processos de desenvolvimento saudáveis do inconsciente arquetípico são interrompidos e impedidos de exercer uma influência decisiva na psique coletiva. Eles representam tanto pedidos de socorro quanto obstáculos a um maior desenvolvimento psicológico. Uma quantidade imensa de raiva e frustração fervilha sob a superfície dessa configuração cultural.

Desejo argumentar que a cultura grega clássica não é irrelevante para o nosso cenário multicultural globalizado e muito mais complexo do século XXI no Ocidente. Embora o mundo seja bem diferente hoje em muitos aspectos, em decorrência de grandes movimentações da população, transformações na religião e na filosofia, avanços na tecnologia e mudanças em instituições políticas e econômicas, muitos dos padrões sociais e culturais fundamentais estabelecidos nas regiões do Oriente Médio, da Europa e da Índia quando o patriarcado passou a dominar continuam a moldar estruturas culturais e atitudes sociais.

Essa padronização firmou-se quando novos grupos e religiões patriarcais substituíram as culturas nas quais as Grandes Deusas haviam sido antes reverenciadas e veneradas por milênios. Ela continuou a predominar ao longo dos séculos, até os nossos dias, por influência das religiões bíblicas monoteístas e das heranças clássicas grega e romana. O conflito entre Hera e Zeus não é, portanto, uma curiosidade antiga ultrapassada, e seus produtos — isto é, atitudes psicológicas que ele gera em homens e mulheres — continuam conosco. Assim, ao falar sobre o mito e a cultura grega, não estou abordando algo distante. Manifesto-me sobre mim mesmo, minha família, meus amigos e meus pacientes. Somos os herdeiros diretos dessa história. Falando em termos psicológicos, continuamos a sentir e a experimentar, de maneira consciente e inconsciente, as estruturas que se instalaram em torno de três milênios (ou mais) atrás. Os tipos de complexo cultural gerados por essas estruturas sociais vêm persistindo por um longo período.

Hefesto é um protótipo do filho nascido em uma cultura predominantemente patriarcal em que uma mulher concebe cheia de raiva, dá à luz com vingança e cria os filhos rejeitando-os; e em que um homem gera seus filhos de modo inconsciente, prende a filha a si com uma espécie de amarra psicológica incestuosa, ignora os filhos quando vêm ao mundo e os pune quando tentam impor-se ou defender a mãe das explosões coléricas do pai. É possível encontrar esse tipo de família em muitos romances e filmes modernos, e ver o personagem hefestiano descrito em obras e biografias de muitos autores atuais que escrevem sobre psicologia masculina.

Com um início de vida como esse, podemos esperar que alguns complexos mais comuns apareçam e se enraízem com firmeza na psique de Hefesto. Um complexo é um ferimento emocional infeccionado, em geral inconsciente, que possui vida própria. Ele abriga ressentimentos, mágoas e intenções furiosas e prejudiciais, e borbulha até a superfície de modo espontâneo e com frequência surpreendente. Os complexos são os motivadores de diversos comportamentos psicológicos. Esses mecanismos inconscientes de comportamento e sentimento foram a descoberta mais importante de Freud e Jung. Freud ficou conhecido pelo complexo de Édipo, ao passo que Jung ampliou o campo muito além.

Hefesto passa nove anos tranquilos com as babás Tétis e Eurínome, em uma caverna junto ao mar, onde ocupa seu tempo confeccionando delicadas bijuterias, joias e outras peças ornamentais e decorativas para elas. Já na infância, dá sinais do que há de ser no futuro, no sentido de que se mostra um artesão e artista nato, dotado de inventividade e criatividade naturais. Essas qualidades pode produzir movimento psicológico em uma situação psicológica estagnada — em termos etimológicos e também psicológicos, análise é um processo de "libertação" que procura separar o ego de sua identificação com um aspecto de um complexo que lhe impede livre desenvolvimento e movimento —, Dioniso sabe liberar a situação e estimular o movimento. Embora esta ainda não seja em absoluto a solução definitiva do problema da mãe, o movimento gerado por Dioniso leva Hefesto ao lugar onde "instintos verdadeiros" (frase de Jung)[7] podem influenciá-lo e ajudá-lo a superar a identidade de vítima obstinada que se produziu com seu entrincheiramento no complexo materno negativo.

Hefesto pode estar mais do que ligeiramente embriagado ao cruzar os portões do Olimpo, mas não está dormindo, de modo que, quando os deuses lhe pedem que solte sua mãe do trono, ele age por instinto e exige que lhe seja entregue a áurea Afrodite como recompensa. O acordo é selado, e ele liberta a mãe. Toma então Afrodite, a deusa áurea do amor, por esposa.

A terapia de Dioniso, que "afrouxou" o nó de raiva e ressentimento contra a mãe, também possibilitou à influência do instinto sexual (um "instinto verdadeiro") desempenhar seu papel no sistema psíquico. Tendo a raiva pela mãe abrandada até certo ponto, Hefesto pode amadurecer sexualmente e ser atraído pelo feminino de um modo novo. Antes, sua exposição ao feminino ocorria de maneira maternal, negativa (Hera) e positiva (Tétis e Eurínome). Em Afrodite, a *anima* voluptuosa e personificação da beleza, "constela-se" uma figura feminina que pode oferecer a possibilidade de um novo desenvolvimento. Essa união entre Hefesto, o filho indignado de uma mãe ressentida em uma cultura patriarcal, e Afrodite, o exemplo mais fulgurante das antigas e orgulhosas deusas do amor, representa o início de uma reconciliação de opostos que, por outro lado, se digladiam num conflito incessante em figuras como Zeus e Hera.

totalmente oculto e reprimido. Com o trabalho mágico de seus efeitos pelo inconsciente, o vínculo negativo pode se tornar uma fixação permanente e quase impossível de resolver. Como o mito expõe o problema de modo bem visível, trazendo-o à luz, ele pode ser tratado e resolvido. A terapia é aplicável nesse caso.

Em um conselho dos deuses, discute-se o problema, e Ares se prontifica a trazer o irmão ao Olimpo. Sempre valentão, fará uso da força, é evidente. Mas ele logo retorna, em um fracasso vergonhoso, depois de ser repelido com facilidade por uma enfurecida rajada da forja de Hefesto. Hefesto, também profundamente associado a vulcões (seu nome latino é Vulcano), é capaz de gerar uma força indescritível em sua fornalha incandescente. Sua descarga vulcânica é violenta demais para Ares, que foge, sem dúvida desprovido da técnica terapêutica correta para tratar Hefesto. A força não remove uma pessoa de uma condição de retenção em um complexo. Outro método se faz necessário.

Toda a família sofre com a posição incômoda de Hera, de modo que o caso é urgente. Os olimpianos se aproximam de uma solução quando surge a ideia de enviar um primo excêntrico, Dioniso, como mensageiro. Dioniso é originário da Trácia, sendo na verdade um deus ligado à mulher. Ele é associado a ritos femininos, à intoxicação, ao êxtase e aos prazeres do vinho. Procede de uma espécie diferente de cultura, muito mais afeita ao universo feminino. É um tipo de homem gentil, andrógino, embora dotado de uma vontade férrea toda sua, como pode testemunhar a tragédia tebana de Eurípides, *As Bacantes*. Vemos com bastante frequência essa espécie de figura masculina nos tempos atuais, em contraste com soldados e atletas. Se Hefesto é identificado com o fogo, Dioniso o é com o vinho, e o vinho apaga o fogo.

Dioniso desce à caverna onde o amuado Hefesto se esconde e o convence a beber vinho. Com Hefesto embriagado o bastante, ele o carrega no lombo de uma mula e o leva ao Olimpo. Não é sem motivo que Dioniso é chamado de "libertador". Assim como o analista, que varões foi concebido de maneira a se exigir uma distinção inequívoca entre o self e a mãe, pois do contrário o menino, diante das exigências severas da vida heroica masculina, será demasiado suave, demasiado efeminado, demasiado dependente dos cuidados e afeto femininos. Ele conservará um elemento de androginia original que não combina com o ideal masculino da robustez muscular. Mas pode se confundir com facilidade a separação física com a diferenciação (*separatio*) psicológica. Como afirmei em capítulos anteriores, para os propósitos da individuação é essencial que as crianças, tanto do sexo masculino como do feminino, se diferenciem dos pais. Como e quando essa diferenciação ocorre, porém, é uma questão psicológica delicada.

Muitas vezes, a força de aglutinação de um vínculo negativo com a mãe é sutil e imperceptível de imediato. Se um filho cresce, recebe educação e vive separado dos pais, pode parecer que ele realizou a tarefa de individuação correspondente a seu estágio de vida. Ele parece bem diferente do filho que não sai de casa, que permanece dependente financeiramente da família de origem e que precisa ser sempre amparado por pais zelosos. A diferença do ponto de vista psicológico, no entanto, pode não ser tão grande, ou inclusive ser bastante contrária às aparências. Aquele que vive separado pode, como Hefesto, estar amarrado à mãe por meio de um complexo, por raiva ou ressentimento, e isso a ponto de prejudicar seu desenvolvimento posterior devido ao impasse criado pela situação. Ele não consegue separar-se de fato porque está tolhido por emoções negativas, motivo também pelo qual não consegue ter um relacionamento amoroso e límpido com uma parceira. Sua energia é consumida pelo ressentimento da infância e pela posição defensiva contra ameaças imaginárias à sua independência. Naturalmente, a raiva parece bastante justificável, e os ataques à mãe, mais do que legítimos.

Um dos valores do mito de Hefesto é o fato de demonstrar com bastante clareza e expor de maneira franca esse problema do complexo materno negativo. Esse complexo é muito pior quando fica tornam-se evidentes. Mas, sob esse verniz de atividade criativa, ele também relembra sua história e fervilha de raiva contra a mãe por abandoná-lo e rejeitá-lo. Por fim, o complexo se apossa dele, e ele age movido por seus sentimentos. Planeja vingar-se de Hera construindo um trono ardiloso com o nome dela e enviando-o no anonimato ao Olimpo. Sem maiores preocupações, Hera se apossa com orgulho de seu lugar no trono e, quando já se sente confortável, de repente o trono se eleva do chão e a aprisiona no ar. Ninguém no Olimpo consegue descobrir como trazê-la de volta à terra ou como libertá-la desse trono enganoso e maldoso. Embora divertido a princípio, o incidente logo se torna um problema sério. Hera está presa e quer descer do trono. Os outros deuses percebem a mão de Hefesto nessa brincadeira e pedem ao trapaceiro que suba ao Olimpo e liberte a mãe.

Ao enviado dos deuses, Hefesto responde:

— Não tenho mãe.

Tendo sido abandonado e rejeitado, ele devolve o favor. Em sua resposta, alude a Atena, que certa vez também anunciou com orgulho que não tinha mãe. Sem dúvida, a figura da mãe está sendo rejeitada e ativamente reprimida por essa prole da cultura grega clássica. Esse severo complexo materno negativo impedirá a individuação até que seja resolvido. Ele é a "barreira de bloqueio", o "ponto de encalhe" na cultura patriarcal. Aprender a lidar com essa raiva contra a mãe é um enorme obstáculo que Hefesto precisa vencer para continuar avançando no processo de individuação. O que fazer no caso desse contratempo vivenciado pela mãe? Hefesto está inflexível e não quer libertar Hera de seu trono alteado. Como é evidente, o que um impasse desses revela é que o filho está tão magnetizado quanto a mãe por esse campo emocional extremamente odioso.

A cultura patriarcal se orgulha da virtude da independência, em especial da independência dos homens com relação às mulheres e dos filhos com relação à mãe. O desenvolvimento psicológico dos

Acontece, todavia, que essa é uma união bastante instável, muito semelhante à maioria das primeiras tentativas de reconciliar opostos. Esse é o primeiro casamento. Ele começa com uma explosão de esperança, seguida de decepção. Ao que parece, Afrodite consentiu com a união por pressão social, e não por amor e dedicação. Hefesto se sentiu atraído por sua beleza e a conquistou como preço por libertar Hera de sua subjugação. O relacionamento não se fundamenta na compreensão mútua. O casamento se deteriora porque Afrodite tem um caso com Ares, e o deus sol, Hélio, denuncia o fato a Hefesto, que, tomado de ciúmes, inventa mais uma vez um mecanismo de captura ardiloso — uma rede que cai sobre os amantes e os mantém unidos em flagrante. Então, em um tormento tonitruante, Hefesto brada aos deuses que se aproximem e testemunhem com os próprios olhos a situação do casal desnudo enredado:

"Pai Zeus e vós todos deuses bem-aventurados e imortais,
vinde observar uma cena grotesca e indecente: como
Afrodite, filha de Zeus, desonra-me sem cessar,
entregando-se cheia de amor ao pernicioso Ares,
porque ele é belo e sadio de pernas, enquanto eu
sou defeituoso de nascença. Não eu, mas meu pai e minha
mãe são os únicos responsáveis por isso. Quisera eu nunca
me tivessem gerado!
Mas olhai e vede como esses dois, no meu próprio leito, envolvem-se em um abraço amoroso. Adoeço só de olhar para eles.
No entanto, não permanecerão assim por muito tempo.
Por mais que se amem, em breve desejarão levantar-se.
Mas minha arapuca e meus laços os conterão até que
o pai dela me devolva todos os meus presentes de núpcias,
tudo quanto ofereci por sua filha, a de olhos de rameira, tão
bela quanto desavergonhada".[8]

Enquanto as deusas, por discrição, se mantêm distantes, os deuses se acotovelam em torno do casal. Eles irrompem em estrondosas gargalhadas à vista da engenhosa rede de Hefesto e dos constrangidos amantes nela emaranhados. Apolo pergunta a Hermes se ele gostaria de dormir com Afrodite nessas condições, ao que o despudorado deus replica:

"Ah, se gostaria,
mesmo que houvesse três vezes mais laços
e que vós todos deuses e deusas ficásseis observando,
ainda assim eu me deitaria com a áurea Afrodite".[9]

Mas Poseidon, irmão de Zeus, não está se divertindo e quer que a decência seja restabelecida. Ele pede a Hefesto que liberte o desnudo Ares em troca do pagamento de uma multa:

"Solta-o; prometo que ele pagará o que pedires,
tudo conforme acordado entre os deuses imortais".[10]

Hefesto não tem certeza de se será ressarcido caso liberte Ares, mas Poseidon afiança o pagamento. Estabelece-se assim a ordem patriarcal sobre o matrimônio e o divórcio. Afrodite casou por obrigação, não por seu verdadeiro instinto amoroso, e desse modo era naturalmente infiel. Hefesto tentou comprar o amor, mas fracassou. Para individuar-se de fato, Hefesto terá também de se separar do complexo paterno patriarcal e de seu modo de tratar a *anima*. Ele vai precisar encontrar sua esposa e cortejá-la. Como sabemos, a *anima* é para um homem muito mais do que apenas a passagem para a sexualidade, não podendo ser comprada nem vendida. Como função da psique, a *anima* é autônoma, não sujeita às leis do coletivo. Na verdade, ela é o exato oposto disso, e como tal é o elo para todos os "instintos verdadeiros" de que fala Jung e para as imagens arquetípicas do inconsciente coletivo, as quais são capazes de produzir os efeitos benéficos necessários à personalidade em processo de individuação, como vimos no capítulo anterior.

Com base nessas histórias, podemos traçar um retrato psicológico da problemática hefestiana. Temos em primeiro lugar um complexo materno negativo inflamado, baseado na experiência de rejeição extrema devido a uma imperfeição; temos também um complexo paterno negativo, decorrente da ausência negligente e do comportamento por vezes brutal do pai. Em seguida, constatamos uma atitude comercial com relação ao feminino e ao relacionamento amoroso, o que cria uma experiência de *anima* instável e inconfiável. Esse é o legado da atitude patriarcal que tenta controlar o feminino interno e externo. Por fim, temos uma sombra de Ares, derivada da raiva e do autodesprezo agressivo da mãe. Essa sombra pode ser dirigida contra os outros ou contra o próprio self.

Sem grandes dificuldades, é possível transferir esse conjunto de estruturas psicológicas do nível pessoal para o coletivo. Podemos comprovar o uso comercial da *anima* afrodítica nos filmes de Hollywood, com a projeção das deusas do amor em telas e imagens sedutoras do feminino expostas abertamente em anúncios e comerciais. A sombra de Ares está presente no complexo industrial-militar e em seus estreitos laços com os "poderes constituídos" estabelecidos, laços esses disfarçados em meio a racionalizações dignas e honrosas de interesse nacional, defesa da tradição e teoria econômica. O complexo paterno patriarcal é representado pelos governantes políticos (sejam eles homens ou mulheres), e o complexo materno negativo encontra expressão nas mulheres enfurecidas que protestam de modo compulsivo contra o tratamento que percebem lhes ser dispensado pela mão do poder patriarcal.

Em meio a tudo isso encontra-se o ego hefestiano, ferido, deformado por baixa autoestima, furioso e ressentido, achando difícil, quando não impossível, relacionar-se com seus impulsos de individuação mais profundos. Ele deve enfrentar mãe e pai e separar-

-se desses complexos e seus derivados (*separatio*) para entrar em contato consigo mesmo e encontrar seu caminho para um contato (*coniunctio*) autêntico e estável com os "instintos verdadeiros" e a orientação individuadora das camadas mais profundas do inconsciente. O belo em Hefesto é que, quando executa seu trabalho, ele representa o mais profundo instinto criativo entre os olimpianos, pois entre os deuses ele é, sem dúvida, um dos mais inventivos.

Interlúdio Teórico

Antes de sair em busca de respostas para essas questões, eu gostaria de tecer algumas considerações adicionais sobre termos como "instintos", arquétipos, inconsciente profundo, "instintos verdadeiros" etc. Este será um interlúdio teórico.

Em um ensaio escrito em 1936 para ser apresentado na Harvard Tercentenary Conference of Arts and Sciences, intitulado "Psychological Factors Determining Human Behavior" [Fatores Psicológicos Determinantes do Comportamento Humano],[11] Jung postulou cinco "fatores instintivos": fome, sexualidade, atividade, reflexão e criatividade. Esses são impulsos humanos profundos, situados além das camadas possíveis de aculturação, pertencendo à natureza humana em si. Tais fatores instintivos influenciam o comportamento humano, mas também são moldados e configurados por outros agentes, físicos, psicológicos e culturais. A esses agentes Jung denomina "modalidades", sendo eles: gênero, idade e disposição hereditária do indivíduo; e há ainda fatores de caráter mais psicológico, como o grau de consciência ou inconsciência de uma pessoa, o grau de introversão ou extroversão, e os modos de relacionamento da polaridade matéria-espírito na pessoa individual. Com esse esquema, podemos observar com facilidade como Jung concebia a cultura e a história enquanto influências importantes na determinação do modo como os grupos instintivos podem ser mobilizados.

Assim, os cinco fatores pertencem à categoria dos "instintos verdadeiros" e podem ser configurados e influenciados pelas modalidades, que por sua vez podem ser plasmadas pela história e pela cultura. No mesmo nível (profundo) dos fatores instintivos estão os arquétipos. Em ensaio posterior ("On the Nature of the Psyche") [Sobre a Natureza da Psique], Jung teoriza sobre a relação entre instintos e arquétipos, e conclui que podemos visualizá-los melhor distribuindo-os em um espectro, à semelhança do espectro de cores, com os instintos na extremidade infravermelha e os arquétipos na extremidade ultravioleta.[12] Conquanto nem os instintos nem os arquétipos em si pertençam à psique em sentido estrito, pois transcendem os seus domínios, ambos influenciam a psique, gerando impulsos, pressões e desejos na esfera do instinto, e imagens, ideias e intuições na esfera dos arquétipos. A consciência pode se deslocar de um polo a outro, sentindo com mais intensidade ora os instintos, ora as imagens e ideias, sendo que um pode às vezes submergir ou absorver o outro. Mas, na psique saudável, que é a psique equilibrada, instinto e arquétipo coordenam suas cargas libidinosas, com o inconsciente efetuando uma compensação psíquica saudável quando o ego-consciência tende para sua inevitável unilateralidade. Os "instintos verdadeiros" ou "natureza" podem ajustar, equilibrar e curar a personalidade consciente se as condições forem apropriadas para que suas compensações produzam efeito.

O principal obstáculo a essas operações homeostático-psíquicas do sistema está na existência dos complexos pessoais. Os complexos, desenvolvidos ao longo da história de vida da pessoa e instigados por traumas, e então ampliados pela reunião de associações em torno de si mesmos, formam uma camada, com frequência impenetrável, entre esse ego-consciência unilateral e as camadas instintivas/arquetípicas mais profundas da psique. Assim, na prática, muitas vezes temos a oportunidade de ouvir uma pessoa relatar um sonho maravilhoso, numinoso, arquetípico — um sonho que a bem da verdade deveria ter uma influência curativa profunda sobre a consciência —, e perceber que esse sonho não só não produziu um efeito observável, mas, inclusive, com o peso da interpretação avaliativa do analista, contribuiu pouco para a matriz psíquica. É como se o anjo aparecesse, anunciasse a boa-nova de uma gravidez, e algumas horas depois a jovem esquecesse ou ignorasse a situação, ou então considerasse todos os motivos por que não poderia dar continuidade à gestação e abortasse. Assim, a epifania dissipa-se e nada muda. Nesse caso, os complexos imperam e impedem os processos de individuação da psique mais profunda.

A mesma coisa acontece na área do instinto. Os instintos podem ser ignorados, desconsiderados, distorcidos e orientados para fins perversos e desonestos. O instinto da fome pode degenerar em voracidade ou anorexia; a sexualidade pode deturpar-se em fetichismo e outras incontáveis perversões; a atividade pode esmorecer ou inflamar-se, assim como a reflexão; e a criatividade pode orientar-se para a invenção de bombas atômicas, câmaras de gás e instrumentos de tortura. Por outro lado, os instintos podem acabar tão obstruídos e bloqueados, que quase nada passa desse nível do inconsciente para o ego-consciência, pelo menos em algumas das áreas instintivas. Sendo assim, podemos nos deparar com uma pessoa sem criatividade, ou sem sexualidade, ou com baixos níveis de atividade, reflexão ou sustento. Não é que uma dessas áreas esteja capturando toda a libido; antes, os níveis de libido em geral são baixos, os complexos absorvem os impulsos libidinosos e o ego é mais ou menos desprovido de energia e motivação em qualquer direção. Esse é um quadro de depressão neurótica crônica.

Onde se situam os mitos em tudo isso? Em teoria, conforme afirmam Jung, Von Franz e outros clássicos, os mitos dos povos refletem até certo ponto os padrões arquetípicos do inconsciente coletivo, mas também incluem a história, isto é, os complexos coletivos do povo ao qual pertencem. Os mitos não são imagens claras de arquétipos puros. Eles podem se relacionar a padrões arquetípicos e a padrões instintivos, desde que se tenha o cuidado de proceder ao necessário trabalho de comparação. No mínimo, existe um núcleo da camada instinto/arquétipo do inconsciente em cada mito e figura mítica, do mesmo modo que esse núcleo existe nos complexos pessoais do indivíduo, mas este deve ser diferenciado dos componentes históricos e culturais, pois do contrário podemos acabar considerando como normativos os padrões historicamente condicionados de determinado povo. Desse modo, um estereótipo social, cultural, se confundiria com um arquétipo, batizado como tal e elevado ao *status* de lei natural. Essa tem sido uma das críticas a algumas versões da teoria junguiana dos arquétipos, e, na medida em que certas culturas, como a grega clássica, foram consideradas normativas, e seus mitos, arquétipos puros, essa crítica é justificada.

Os mitos, onde quer que se encontrem e em qualquer Escritura que apareçam, precisam ser considerados complexos culturais e, portanto, compostos de história por um lado, e como "natureza pura, não deturpada" (Jung) por outro. Em si mesmos, arquétipos e instintos estão além da influência cultural específica e além de aquisição individual ou determinação psíquica; eles são natureza em si e estão enraizados no "espírito", no polo arquetípico, e na "matéria", no polo instintivo. Os mitos são transações de compromisso, resultados da história e de seus conflitos em interação com a natureza humana. É por isso que figuras-míticas tendem a se assemelhar a figuras humanas: elas estão bem próximas da consciência humana e a refletem.

No entanto, parece que, nas figuras míticas, podemos ver o brilho de parte da luz dos mundos arquetípico e instintivo. Elas são numinosas, pelo menos quando "vivem" em um culto ou religião, e são reverenciadas em ritos e rituais. De modo vago e algo intuitivo, podemos associar os cinco instintos mencionados por Jung a personagens da mitologia grega. O sustento é representado por Deméter, deusa da agricultura, dos cereais e figura da forte Grande Mãe no panteão grego. A sexualidade tem um ícone áureo em Afrodite, uma das grandes deusas do amor de todos os tempos; também Dioniso, deus do vinho, é com frequência associado à sexualidade arrebatada. A atividade, dramatizada com tanta intensidade nas narrativas e epopeias gregas dos grandes heróis, é de um modo ou de outro uma virtude de quase todas as divindades, dependendo de seus papéis e funções: Ares na guerra, Hera no matrimônio, Héstia junto à lareira, Hermes como ladrão e mensageiro etc. A reflexão conta com dois grandes modelos, Apolo e Atena, o primeiro mais idealista e teórico talvez, a segunda mais prática e estratégica. E a criatividade resplandece em Hermes e Hefesto, ambos inventores, ambos trapaceiros e ambos filhos de mãe solteira. Na figura de Hefesto, podemos ver o esforço para se libertar da bagagem histórica (os complexos) e uma luta bem-sucedida para se separar e individuar-se, com o objetivo de se tornar com mais plenitude aquilo que no fundo ele sempre foi: uma personalidade criativa.

Essa luta de Hefesto é, portanto, uma luta encarada por homens e mulheres hoje, quando procuram libertar-se da bagagem da história pessoal e coletiva e tornar-se as personalidades individuadas que constituem seu potencial inato.

O Hefesto Interno

Que homem entre nós não carrega algumas das feridas e dilemas de Hefesto? Um homem que acolhi em análise durante vários anos me contou a história de algo semelhante e do problema da mãe negativa, um relato inesquecível. Vou chamá-lo apenas de Jack. Jack sinalizou-me diversas vezes que sentia uma reação estranhamente peculiar a materiais de desenho e pintura quando os via nas papelarias que frequentava. Por um lado, ficava fascinado e se sentia impelido a adquiri-los; por outro, sentia certa inibição e uma espécie de paralisia que o impedia de agir. Jack, com 50 anos, era um profissional bem-sucedido em uma área totalmente alheia ao desenho e à pintura, estava satisfeito com sua carreira e orgulhoso de suas consideráveis conquistas. Mas debatia-se sempre com questões de autoestima, às vezes tornando-se agudamente deprimido e ansioso, e tinha um gênio forte, propenso a se irritar com facilidade. Possuía um "temperamento artístico" bastante típico, herdado do pai. Essa reação peculiar a materiais de desenho e pintura continuava sendo um enigma, entretanto, até que ele conseguiu trazer à tona uma lembrança importante da infância.

Até em torno dos 8 anos de idade, Jack se divertira livremente desenhando e colorindo, e, como demonstrava certo talento nessa área, os professores o incentivavam. De modo geral, ele apenas sentia prazer com o ato de desenhar formas e de brincar com cores. Era também dotado de uma natureza muito inquisitiva e gostava de desmontar brinquedos para ver como funcionavam, pelo que os pais quase sempre o repreendiam e envergonhavam. A lembrança precisa que ele recuperou e que enfim explicou sua inibição com relação a materiais artísticos foi a de que, pelos seus 8 anos, ele desenhou à mão livre o mapa de um território geográfico. Levou o desenho para a mãe, mostrando-lhe orgulhoso o que havia feito. E então o choque! A mãe, professora formada, corrigiu-o com aspereza, dizendo que o que *devia* ter feito era traçar o território em uma folha de papel transparente sobreposta ao mapa do livro. E insistiu que ele devia aprender a fazer isso, refreando assim os esforços do menino para desenhar figuras à mão livre.

Um incidente pequeno, é verdade, mas em retrospecto a mensagem atingiu a psique do garoto de modo severo e lá se alojou; ela se tornou uma proibição com relação à liberdade artística. A mensagem foi: "Há um modo correto de fazer isso; há uma imagem exata e há uma imagem errada; faça do modo certo ou então não faça". E isso congelou sua atividade criativa nessa área. O desenho deixou de ser um campo de operações para seu instinto criativo encontrar expressão, fazer novas coisas, inventar, experimentar; agora era uma arena em que se exigia correção, em que a produção se tornou "reprodução" e da qual a criatividade estava banida. Já na meia-

-idade, Jack se percebeu inibido e paralisado ao se sentir atraído pela possibilidade de mais uma vez retomar o desenho e a pintura. O elemento hefestiano nele fora lançado do Olimpo e se recolhera.

A reviravolta se deu certo dia em que ele pegou um livro de autoajuda na seção de uma loja de departamentos, a poucos metros da seção de suprimentos artísticos, livro que lhe apresentou a noção do uso da mão esquerda para comunicar-se com sua "criança interior". Ele resolveu aplicar a técnica. Assim, seguindo as instruções, começou a escrever com a mão esquerda, permitindo que ela falasse com ele. E a história que a mão lhe contou foi espantosa: ela disse que representava um menino de 5 anos de idade, o menino que ele havia sido, e em seguida passou a mostrar-lhe algumas lembranças que haviam ficado submersas por muitos anos. Eram lembranças que remontavam à tenra infância, aos seus 5 anos. Ele relembrou outros acontecimentos de vergonha e humilhação associados à livre autoexpressão. O tom do menino da mão esquerda era amuado e raivoso. No início falava pouco e insistia em fazer as coisas do seu jeito. Aos poucos, ao ser ouvido por Jack, e este responder a ele com a mão direita, que representava sua consciência atual, começou a se desenvolver um diálogo, e a mão esquerda assumiu uma atitude mais cooperativa.

Uma das coisas que o menino da mão esquerda queria fazer era desenhar e pintar. Jack concordou em fazer isso, e então, pela primeira vez em muitos anos, foi à papelaria e comprou alguns lápis de cor e um bloco. Quando começou a usar esse material, sentiu um enorme alívio e muita alegria. O simples ato de colorir uma folha o deixou surpreso e maravilhado. Com a mão esquerda, conseguiu desenhar algumas formas simples, que às vezes revelavam grande elegância e às vezes surtos de emoção: raiva, tristeza, alegria. Essas sessões de imaginação ativa prosseguiram dessa maneira por cerca de seis meses, e durante esse período a mão esquerda revelou muitas facetas da personalidade de Jack há muito tempo ocultas e perdidas, inclusive de várias idades, até os 15 anos.

Mas a impressão mais marcante que recebi dos relatos de Jack sobre essas comunicações — ele me mostrava os desenhos e lia os diálogos, com a permissão do bastante suspeito companheiro da mão esquerda — foi a de que a realidade subjacente a essa vivência constituía o seu self mais verdadeiro, uma personalidade bem além das restrições da *persona* do seu ego adulto adaptado, sendo capaz de voltar aos primeiros anos e vivenciar uma vez mais aquele nível original, primal de instinto e arquétipo que contém a energia criativa. Nesse nível, Jack não estava subjugado pela ferida; nele, o trauma não o havia mutilado.

Desse breve esboço clínico podemos ver como um simples choque de origem externa pode causar à psique um ferimento que bloqueia o "instinto natural" da criatividade. No caso de Jack, não foi uma lesão tão debilitante e devastadora que o deixasse deformado em todas as áreas da vida, mas foi um choque que deixou uma impressão profunda e o impossibilitou de usar um campo específico de operações para a expressão de seu instinto criativo. Também chegou a simbolizar seu problema mais geral de ser genuína e completamente livre e criativo em outras áreas além do desenho e da pintura.

Pela minha experiência como psicoterapeuta e analista junguiano, posso testemunhar que esse tipo de ferimento hefestiano é bastante comum. Na verdade, é muito raro eu não detectar essas características em uma pessoa que chega para análise. A imagem de Hefesto, com sua deficiência, sua história de rejeição por parte da mãe e do pai, seus sentimentos de vergonha por ser considerado imperfeito em um ou outro aspecto, retrata com vividez características que refletem a experiência de muitas pessoas em seu processo de individuação.

Em Hefesto vemos, a princípio, o rebelde criativo marginalizado, raivoso e ressentido. Isso não o impede de criar de um modo mais simples, e nesses esforços ele é amparado e sustentado por certos recursos maternais positivos — as ninfas do mar, Tétis e Eurínome, em sua caverna, um "espaço livre e protegido", para usar a bela expressão de Dora Kalff para o espaço da caixa de areia que ela criou para seus pacientes. Atrás da marginalidade de Hefesto está a imagem de uma mãe que rejeita o filho, e é dela que ele precisa se libertar para alcançar seu pleno potencial como criador.

Esse era exatamente o problema psicológico de Jack. Tão profundo e intenso era seu ressentimento para com a mãe, que ele mal conseguia falar com ela ao telefone por alguns minutos sem ficar irritado e agressivo. E, nas poucas ocasiões em que passou algum tempo com ela, ele praticamente explodia de raiva depois de algumas horas em sua presença. Mas a questão mais profunda era livrar-se da influência materna dentro dele mesmo, pois era lá que se encontrava o verdadeiro bloqueio ao seu acesso ao instinto criativo. Só depois de realizar seu trabalho com a mão esquerda e de envolver sua parte hefestiana em um diálogo foi que a criança interior irritada e ressentida lhe permitiu afugentar a profunda aversão à sua mãe real.

O problema nesse caso é que o ferimento, uma vez curado, torna-se um poderoso fator interior de inibição. A Hera que rejeita o filho torna-se hóspede da psique e, como tal, pode continuar desferindo os golpes que agora estão no distante passado e resolvidos na realidade externa. Com relação a essa imagem psíquica, a pessoa permanece pequena e infantil, ao passo que o complexo materno se agiganta. Hera sobranceia como um monstro, ameaçando rejeição e agressão contínuas diante de qualquer tentativa de mostrar cores criativas próprias.

Deparei-me com outro exemplo clínico vívido no caso de um homem perto dos seus 60 anos que sentiu a paralisia do ferimento à sua criatividade em ambientes onde sentia a necessidade de se expressar. Em consequência desse ferimento, ele sofria de gagueira. Se ele conseguisse controlar seu medo de gaguejar e pudesse expor sua opinião em uma discussão livre, martirizava-se por horas, e às vezes dias, com recriminações e repreensões a si mesmo: Ele não devia ter falado! O que os outros pensariam dele? Havia dito a coisa certa? Seu comentário fora em voz muito alta, ou muito idiota, ou muito revelador? Ele teria de pagar um preço exorbitante por falar? Era desse teor a ansiedade paralisante que inundava sua consciência se ele quebrasse a regra definida pela mãe de não falar em público. Essa *imago* da mãe ansiosa com voz ríspida e crítica que gritava para ele em tons agressivos o havia dominado ao longo de toda a sua vida adulta. De modo surpreendente, nas horas livres, era poeta. Eis aí um lugar sossegado e protegido, uma espécie de caverna, onde ele podia falar, onde sua voz podia ser liberada e onde o impulso criativo podia divertir-se com uma ocupação prazerosa.

Hefesto Inteiro

A partir do momento em que Hefesto defronta-se com Hera e retorna aos muros privilegiados do Olimpo, ele está livre para ir e vir à vontade e criar as grandes obras que o tornarão conhecido mais tarde. Ele ativa suas forjas em Lemnos, transporta materiais conforme a necessidade e atende a encomendas de vários deuses clientes. Hefesto passou a representar para os gregos não só o fogo da criatividade, mas também o controle desse fogo na forja. A imagem de Hefesto dá forma ao instinto da criatividade. Sem esse moderador, o instinto apenas queimaria com seu fogo devastador, descontrolado e incontrolável, como às vezes acontece com indivíduos criativos que não encontram seu ponto de equilíbrio. A raiva e a frustração desses indivíduos evadem-se ao controle, e sua energia criativa não encontra canais adequados.

O fogo da criatividade sem a contenção de uma imagem e do campo de operações que essa imagem pode oferecer torna-se destrutivo, como acontece com os fogos de um piromaníaco, que sente prazer em queimar coisas até reduzi-las a cinzas. Por isso, foi a Hefesto, assim como a Atena, que os gregos creditaram sua civilização. Hefesto controlou o fogo e presenteou os gregos com as dádivas da civilização, que alçaram sua existência além da vida do homem das cavernas. No seu templo, o fogo era sagrado.

É na forja, porém, que Hefesto é mais propriamente ele mesmo. Em uma emocionante passagem da *Ilíada*, Homero descreve a cena em que Hefesto cria uma magnífica obra de arte, o famoso Escudo de Aquiles. Tétis, mãe biológica de Aquiles e mãe substituta de Hefesto, dirige-se a ele para pedir um favor: a fabricação de um escudo impenetrável para seu filho herói que está cercado nos campos de Troia. Tétis chega à morada de Hefesto, que é

Indestrutível, cheia de estrelas, reluzente entre os imortais,
Construída em bronze pelo próprio deus coxo.
Ali o encontrou suando, muito ocupado entre seus foles
Pois fabricava vinte tripés
A ser colocados junto às paredes de sua sólida habitação.[13]

Sem dúvida, Hefesto alcançou o sucesso, social e material. Ele também voltou a se casar, agora com a adorável Cáris (Aglaia), uma das Graças, que põe Tétis à vontade e confortável "em uma cadeira confeccionada com esmero e beleza em seus componentes de prata, tendo um escabelo sob ela [...]". Cáris chama o marido: "Hefesto, vem; Tétis está aqui e precisa de ti".

Hefesto atende com entusiasmo ao pedido de Tétis sobre um escudo para Aquiles e se põe a trabalhar de imediato com seus foles:

Ele os levou até o fogo e os colocou para trabalhar.
E eles, os vinte, sopraram sob os cadinhos,
Lançando lufadas de todas as direções para expandir as chamas
Com ele ora correndo para cá, ora apressando-se para lá,

Sempre que Hefesto queria que soprassem, e assim o trabalho prosseguia.[14]

No maciço escudo, Hefesto representa todo o cosmos: a terra, o céu, os mares, o sol, a lua e todas as constelações; duas cidades com todas as atividades típicas desses lugares de habitação humana; acampamentos militares sitiando uma das cidades; cenários agrícolas com lavradores atarefados; as propriedades de um rei, um vinhedo florescendo, um rebanho sendo perseguido e atacado por leões; uma grande pastagem com pastores apascentando suas ovelhas com tranquilidade; uma cena do interior com "mancebos [...] e donzelas, cortejadas por sua beleza ao serem presenteadas com bois, dançando com mãos e braços entrelaçados";[15] e, para arrematar essa admirável obra, ele "esculpiu o grande poder do Rio Oceano fluindo na orla externa da sólida estrutura".[16] Então

Quando o famoso ferreiro de braços fortes terminou a
armadura,
Ele a tomou e colocou diante da mãe de Aquiles.
Ela, como um falcão, precipitou-se do Olimpo coberto de
neve
E levou a reluzente armadura, presente de Hefesto.[17]

De fato, o escudo se mostra tão indestrutível quanto o próprio deus. A história de Hefesto e sua criatividade dá testemunho da força persistente do imperativo da individuação na psique humana e de sua capacidade, com frequência contra todas as adversidades, de conter e canalizar uma inabalável determinação.

6

Um Espaço para a Individuação

Os complexos retardam o processo de individuação, pois forçam a pessoa a enfrentar impasses emocionais. A pessoa pode facilmente cair vítima, por exemplo, de uma necessidade implacável de vingança e de um ódio impiedoso com relação a ferimentos sofridos na infância, ou então resvalar para o abismo insondável da nostalgia. O complexo tem vontade própria — em geral, mais forte do que a capacidade de resistência do ego. Uma personalidade hefestiana precisa libertar-se de um complexo materno negativo severo para poder se individuar depois de uma eterna adolescência enfurecida. Essa libertação exige uma quantidade significativa de energia, muitas vezes insuflada do exterior. Uma vez livre desse ressentimento contra a mãe (Hera), o indivíduo pode amadurecer e reivindicar identidade plena como personalidade criativa. Sua conexão vital com o instinto criativo depende dessa separação do complexo materno.

Em capítulos anteriores, mostrei como a individuação depende decisivamente da ruptura da identidade com imagens e narrativas da infância. Efetuar essa separação equivale a libertar-se dos complexos. O herói de "A Serpente Branca" renunciou à segurança de uma função rotineira como servo e empreendeu uma jornada repleta de provações e testes penosos para alcançar seu objetivo de individuação, a integração do si-mesmo simbolizada pelo casamento. Uma perda repentina, catastrófica, lançou de modo inesperado a heroína de "A Velha do Bosque" em uma crise de individuação que propiciou um estado de radical separação de suas imagens de identidade e segurança anteriores. Esse rompimento por fim favoreceu diversas descobertas de potencial interior, até resultar em uma nova consciência quando do casamento com uma figura até então enfeitiçada. O jovem também precisou se libertar do aprisionamento de um complexo, a mãe negativa.

Esse é o padrão do processo de individuação: separação seguida de união. Michael Fordham deu a essas etapas o nome de sequências de desintegração/integração.[1] Para Fordham, essas sequências começam já nos primeiros anos de vida, funcionam na fase infantil e, de fato, continuam ao longo da vida. Um processo de individuação plena mostra a ocorrência frequente dessas sequências, em diversas ordens de magnitude, no decorrer de uma vida inteira. Já dei vários exemplos desse processo de separação e união na vida de pessoas adultas.

Chegou o momento de analisar o espaço psicológico em que é possível manter esse processo vivo e ativo ao longo da vida. O problema é que muitas vezes ele se interrompe. As pessoas podem iniciá-lo de modo satisfatório e em seguida sucumbir a rotinas e hábitos infindáveis. Às vezes as pessoas fraquejam porque o meio cultural em que vivem oferece apenas *personas* limitadas para adultos de um gênero, ou ambos, e impõe costumes restritivos que se interpõem no caminho de um maior desenvolvimento individual. Como vimos, complexos pessoais também detêm o processo e às vezes levam a uma desintegração irreversível ou apenas à estagnação e a repetições intermináveis, pouco evidentes, de individuação.

As evidências da individuação são uma consciência maior, mais inclusiva, mais integrada; uma consciência menos propensa a recair em operações defensivas como fragmentação e projeção. Há também acesso cada vez maior a energias instintivas, como a criatividade. A continuidade da individuação requer uma espécie particular de atitude psicológica, a qual tentarei descrever neste capítulo como "espaço". A psicoterapia profunda dedica-se à tarefa de abrir esse espaço e de consolidá-lo no funcionamento psicológico de uma pessoa, de modo que possa continuar sendo usado para a individuação após o término do tratamento formal.

O princípio de individuação define um tipo específico de desenvolvimento psicológico que ocorre ao longo do tempo. Esse desenvolvimento introduz-se e fixa-se tanto nas dimensões conscientes como inconscientes da psique. Ele prevê períodos graduais de maturação lenta mas também guinadas, disparos e descontinuidades abruptos, que podem produzir avanços rápidos na consciência. Seu palco é o mundo interior, o mundo da consciência e do inconsciente, e seus padrões e dinâmica têm como base um processo arquetípico que pertence aos padrões inatos do inconsciente coletivo.

O processo de individuação costuma ser apresentado em forma narrativa e representado simbolicamente como uma "jornada",[2] tanto que o emprego excessivo dessa linguagem chega hoje a beirar a banalidade. Como metáfora, porém, tem seus méritos, em particular para a interpretação de sonhos; mas é preciso perguntar-se de modo realístico: Que espécie de jornada é essa? Onde ela se dá? A pessoa não alcança a individuação movendo-se literalmente de um lugar a outro (*moving cure*, como os psicoterapeutas a denominam com ironia) ou fazendo uma viagem ao redor do mundo ("o voo para a saúde", em geral feito como ação defensiva contra a dor psíquica).[3] Sem dúvida, a "jornada" é uma metáfora, mas o que ela implica?

Além disso, Jung via a individuação como um processo de desenvolvimento psicológico não linear, a não ser nos primeiros anos, depois do que foi mais bem descrito como uma circum-ambulação de um centro.[4] A imagem da jornada, ao contrário, implica movimento linear de um lugar a outro. Mas essa imagem de circularidade, ou circum-ambulação, como Jung a denominou, também não deve ser entendida como uma espécie de objeção literal ao motivo da jornada. Uma pessoa não alcança a individuação apenas andando em círculos, seja literal ou figurativamente. Muitos têm usado imagens como "jornada" e "circum-ambulação do centro", e de modo produtivo, para apreender aspectos ou momentos do processo. Elas são símbolos e podem ser úteis como modos de compreender e até de intensificar o processo de individuação que se forma de modo concreto na vida de uma pessoa. É óbvio que, o que quer que as imagens para a individuação possam ser, elas precisam ser entendidas como metáforas para um processo psicológico que ocorre dentro de um espaço que não é literal. Mas esse espaço também não pode ser descrito de maneira adequada como puramente interior e mental. Trata-se de um paradoxo. A individuação avança tanto por sincronicidade — uma união de imagens e significados psíquicos internos e pessoas e acontecimentos externos — quanto por sequências de acontecimentos e resultados causais. O espaço da individuação, portanto, é complexo e até mesmo paradoxal.

A individuação precisa, e se serve, do mundo *inteiro* para suas várias operações de separação e união. Para que a individuação do tipo que abordo neste livro ocorra e perdure ao longo da vida de uma pessoa, é necessária a formação de uma atitude psicológica peculiar que inclua o paradoxo "externo é interno" — às vezes também vice-versa: "interno é externo" — e o de que a psique e o mundo material são em certo sentido dois lados de uma mesma moeda. Essa percepção consciente do entrelaçamento de psique e mundo envolve experiências vivenciadas como totalmente simbólicas, e se baseia no reconhecimento de um mundo especificamente *psicológico* em que há espaço para brincar e realizar as operações da individuação.[5]

Para dar mais substância e detalhe às qualidades desse espaço psicológico, recorro mais uma vez ao mito grego. O mito também é não literal, simbólico e paradoxal (isto é, tanto "interno", da imaginação, quanto "externo", pois se localiza em um lugar geográfico objetivo, como o Monte Olimpo), e assim ajuda a tornar atitudes e processos psicológicos visíveis e palpáveis. Não se pode tocar um complexo ou sentir o gosto de uma figura arquetípica, mas os humanos criaram imagens deles como formas míticas, dando-lhes assim conformação e textura. Os mitos são imagens de figuras e processos psicológicos que Jung denominou arquetípicos.

Neste capítulo, seguirei as pegadas de Hermes em busca de elucidação para o tipo de espaço que possibilita a individuação. O grande mitógrafo Karl Kerényi[6] dá a Hermes o epíteto de "Guia das Almas", e é assim que ele é visto, exercendo a função de guiar a consciência para o desconhecido e abrir novos espaços. Usarei essa imagem para analisar a criação de um tipo de espaço psíquico capaz de abrigar e promover o processo de individuação, mesmo para pessoas modernas que não acreditam na existência metafísica de deuses.

Hermes, uma Introdução

A princípio, algumas informações de caráter geral: Quem foi Hermes? O mitógrafo alemão do século XIX, W. H. Roscher, identificou Hermes com o vento, subordinando a essa identidade básica todas as suas demais funções e atributos, tais como Hermes como servo e mensageiro do deus do céu Zeus; Hermes veloz e alado; Hermes ladrão e bandido; Hermes inventor da flauta e da lira; Hermes guia das almas e deus do sono e dos sonhos; Hermes promotor da fertilidade entre plantas e animais e patrono da saúde; Hermes deus da boa fortuna; Hermes padroeiro dos transportes e das atividades comerciais na terra e no mar. De modo engenhoso, Roscher harmonizou todas essas funções com a percepção primitiva de um deus do vento. Hermes, portanto, é como o vento.[7] Podemos ler a "Ode ao Vento Oeste", de Shelley, como um hino comovente a esse deus:

Ó selvagem vento oeste, tu, sopro do outono,
Tu, presença invisível de quem as folhas mortas
Se afastam, como fantasmas fogem de um feiticeiro. [...]

O vento é sutil, invisível, e tem poder impressionante. É também fantasmagórico. De modo geral, simboliza o espírito, que, segundo a Bíblia, "sopra onde quer". Ele é livre do controle humano. O espírito é também criativo, pairando sobre as águas e gerando um novo espaço ordenado, o cosmos. Para os gregos, esse espírito é Hermes, representado como um jovem, um *puer aeternus*.

Norman O. Brown iniciou a busca acadêmica da essência dessa imagem arquetípica em sua agora obra clássica *Hermes the Thief*.[8] Brown não menciona o vento nem quaisquer outros elementos naturais, mas concentra-se nas características antropomórficas dessa divindade grega. Ele situa o cerne da identidade no caráter furtivo de Hermes e em sua magia. Hermes costumava ser conhecido no mundo antigo como amoral e patrono dos ladrões, assaltantes, viajantes, comerciantes e negociantes. No famoso retrato do hino homérico "A Hermes", ele é um trapaceiro alegre e jovial. Mais do que apenas um simples ladrão ou trapaceiro, porém, para Brown, Hermes é um mago. Dos seus poderes mágicos derivam suas outras funções e atributos. No relato de Brown, Hermes não é meteorológico, mas psicológico, humano, uma presença mágica. Isso explica sua capacidade de criar, entrar e sair dos espaços mais insólitos e surpreendentes.

O papel de Hermes como psicopompo também é bem conhecido e destacado por Kerényi em seu ensaio sobre esse deus. Isso confere à imagem uma dimensão psicológica adicional. Jung chama a atenção para essa identidade de Hermes em sua referência a

Hermes Cilênio (do Monte Cilene, na Arcádia): "Hermes é o ψυγών αίτοσ, 'originador das almas'",[9] escreve ele. Há um nexo claro entre o Hermes mágico-xamânico de Brown e o Hermes deus do vento de Roscher no fato linguístico de que vento e espírito têm o mesmo nome em grego: *pneuma*. Hermes é o deus das almas, que são seres espirituais e, portanto, intimamente relacionados ao processo psicológico.

No conjunto de histórias envolvendo Hermes, transmitido na tradição e literatura gregas, um personagem distinto se projeta: um belo jovem de constituição física ideal, extrovertido em suas atitudes, ágil nos movimentos físicos, mestre na arte da retórica, encantador e sedutor, pronto para servir mas sem se deixar explorar, simpático mas independente, intuitivo, inteligente, em geral benevolente e com senso de humor fácil, atlético e furtivo. Em narrativas míticas, ele não está no centro da política, da tomada de decisões ou de ações que envolvam poder. Ao contrário, encontra-se nos arredores. Hermes se desloca para a margem; ele é uma pessoa periférica, localizado em essência na liminaridade. "O lar original de Hermes não estava no centro, mas no limiar das coisas, na fronteira",[10] observa Brown. O princípio paterno é relativamente fraco em Hermes (ele é filho ilegítimo de Zeus, que teve uma paixão momentânea pela ninfa Maia e lhe deu um filho), ao passo que a figura materna é positiva e sustentadora. O *puer aeternus*[11] tem o espírito ágil do vento e a inteligência e a habilidade de um mágico. Pode fazer as coisas se manifestarem e desaparecerem.

Evidentemente, para nós, falando em termos teológicos Hermes não é um deus, mas sim uma imagem arquetípica. Ele pertence ao legado da humanidade como representação de certo aspecto da capacidade e função psicológicas. Para compreender essa função, precisamos examinar mais atentamente como os gregos imaginavam Hermes e o que ele representava. Esse exame revelará a função psicológica que procuramos nesse deus, ou seja, a função de um deus que é capaz de abrir espaços liminares onde processos de transformação podem se desenvolver.

Brown chama a atenção para um aspecto que muitos outros estudiosos também mencionam, isto é: "é provável que o nome Hermes derive da palavra grega para 'monte de pedras', *herma*, e signifique 'aquele do monte de pedras'".[12] A palavra grega 'ερμα, que significa uma pilha ou um montículo de pedras (para marcar um lugar ou servir de monumento),[13] é muito semelhante ao nome grego de Hermes, 'ρμησ. Nesse sentido, Martin Nilsson, em seu cativante e pequeno livro, *Greek Folk Religion*, imagina um camponês caminhando pelo interior da Grécia:

> Se o nosso campônio passasse por um monte de pedras, o que provavelmente aconteceria, talvez colocasse outra pedra nessa pilha. Se uma pedra estivesse erigida no alto da pilha, talvez depositasse diante dela parte de suas provisões como oferenda. Ele praticava esse ato como resultado de um costume, sem conhecer a verdadeira razão para isso, mas sabia que um deus estava incorporado no monte de pedras e na pedra elevada que o encimava. Ele dava ao deus o nome Hermes, inspirado pelo monte de pedras (*herma*) onde ele habitava, e dava à pedra elevada o nome herma. Essas pilhas de pedras eram marcos apreciados pelo andarilho, que se orientava por elas para deslocar-se de um lugar a outro através de regiões desertas, e o deus desses itinerantes se tornou o protetor dos viajantes. Se, por acaso, o viandante encontrasse alguma coisa no monte de pedras, provavelmente uma oferenda, a qual seria muito bem-vinda para o pobre e o faminto, ele atribuía esse achado afortunado à graça do deus e o denominava *hermaion*, achado feliz.[14]

O nome Hermes está associado aos marcos de fronteira que pontilhavam a paisagem grega. Esse é o espaço físico ocupado por Hermes no período mítico, e daí nasce a experiência de Hermes. Ele é o deus das fronteiras e encruzilhadas.

Nilsson prossegue e diz que esse monte de pedras nas encruzilhadas poderia assinalar uma sepultura, com a possibilidade de ali estar enterrado um corpo. Essa sinalização indicaria um espaço que seria uma encruzilhada em sentido duplo, com um eixo horizontal e outro vertical: em outras palavras, uma encruzilhada tridimensional. Como um deus de viajantes vivos e mortos, Hermes ocupa um monumento que demarca o limiar entre este mundo e o mundo subterrâneo. Kerényi destaca o papel divino de condução das almas pela fronteira entre a vida e a morte; entre este mundo e o Hades, o mundo subterrâneo das sombras. Por ser associado às fronteiras e ao reino das sombras, Hermes contém as características de um deus da liminaridade, isto é, um deus que habita os interstícios.

O elemento fantasmagórico na experiência de Hermes, que Walter Otto destaca no capítulo sobre Hermes em *The Homeric Gods* [Os Deuses da Grécia],[15] aplicar-se-ia a Hermes por causa dessa associação íntima com os espíritos dos mortos e o mundo subterrâneo. O *Oxford Classical Dictionary* diz que, embora Hermes apareça como um jovem, ele "[...] provavelmente é um dos deuses mais velhos e quase o mais primitivo em sua origem [...] e significa o "demônio" que assombra e ocupa um monte de pedras, ou talvez uma pedra, postada à beira da estrada para algum propósito mágico".[16]

A estátua clássica de Hermes, chamada Herma, foi um desenvolvimento posterior. Tratava-se de uma coluna quadrada, com aproximadamente dois metros de altura, assentada sobre uma base quadrangular e encimada por uma cabeça com barba e um falo ereto na face anterior. As hermas surgiram em torno dos anos 524-520 a.C., sob o reinado do tirano Hiparco, que mandou erigir essas figuras como marcos limítrofes por toda a Grécia. Estranhamente, a herma não apresenta nenhuma das qualidades de movimento e leveza em geral associadas ao espírito de Hermes, e a cabeça no alto é a de um homem velho e de barba espessa, não apresentando o menor sinal de juventude, dinamismo e volatilidade. Sendo um demarcador de fronteiras, é geométrica e resistente, exata e definidora.

De acordo com Brown, Hiparco erigiu essas hermas com o objetivo de "integrar o culto de Hermes à vida urbana e política da cidade-Estado".[17] Essa decisão conferiu a Hermes uma posição mais central na consciência grega. Uma herma era também colocada no propileu (entrada) de espaços e templos sagrados, onde indicava os limites do *temeno*. Com esse desenvolvimento, a liminaridade aproximou-se da centralidade e se tornou mais uma parte da consciência compartilhada por todos na cultura grega. Em toda parte então Hermes encontrava-se nas fronteiras e em espaços definidos, remetendo o cidadão a dimensões horizontais e verticais da existência.

Espaço Hermético

Como imagem psicológica arquetípica, podemos ver em Hermes um sinal mítico da tendência inata da psique a definir horizontes perceptuais e mentais, a demarcar limites, a delimitar espaços. Essa atividade psíquica harmoniza-se muito bem com o princípio de individuação, que funciona para criar a diferenciação. Originalmente, Hermes estava no limiar do espaço conhecido, um monte de pedras na fronteira. Seu marco assinalava o limite da consciência. Além da fronteira está o "outro", o misterioso, o perigoso, o inconsciente. Quando se fixam marcos e se estabelecem limites, no entanto, a curiosidade e o comportamento explorador também ficam estimulados, e novos espaços convidam o ousado e corajoso viajante a aventurar-se por eles. Se Hermes demarca o limite entre consciente e inconsciente, precisamos entender que esse limite está sempre em movimento e constante mudança; ele é mercurial, volátil. Plano de fundo e plano principal também podem se inverter de modo instantâneo, e assim gerar percepções novas e impressões diferentes.

Na área do que é conhecido, recipientes reservados a tipos específicos de atividade humana tomam forma, enquanto além deles está o "outro", o estranho (mesmo que apenas de modo temporário), o tabu, o proibido, o impuro. Hermes na fronteira assinala um limite psicológico e às vezes moral, chamando atenção especial para o espaço no qual o viajante está entrando ou do qual está saindo. Quando aparece pela primeira vez, ele pode criar um novo espaço, dividindo um horizonte imenso em "aqui" e "além", criando assim consciência e também um novo extremo do além, do inconsciente. Sua intervenção no campo perceptual e psicológico cria novas possibilidades de consciência e ainda novos limites e fronteiras além dos quais encontram-se os misteriosos "outros". Quando ele desaparece, há uma perda de identidade e de definição. Enfatizo aqui a fluidez porque essa é uma característica distintiva da atitude psicológica necessária para a individuação. O espaço da individuação muda de modo constante. Ele não se localiza em uma sala (a sala de terapia ou o salão de meditação) apenas, tampouco segue padrões de tempo previsíveis.

Fronteiras e limites, devemos reconhecer, é algo básico para a percepção humana, e sua criação e estabilidade relativa são necessárias para um funcionamento consciente elementar. Mas fronteiras rígidas também criam problemas. Elas atuam como viseiras. Ainda que sejam necessárias para o pensamento claro e o comportamento civilizado, podem estabelecer limitações severas ao sentimento e à imaginação. A individuação requer um espaço flexível porque a interação com o "outro" é essencial.

Boas cercas fazem bons vizinhos; na verdade, as cercas possibilitam a existência de vizinhos. Mas uma pessoa também precisa entender-se e interagir com os vizinhos, e, assim, deve haver certo limite a se transpor. Hermes parece simbolizar o paradoxo da fixação de fronteiras e da transposição delas, ambos os casos incluídos na mesma função. Sem fronteiras não há relações objetivas, mas sem relações não há movimento. O aparecimento de *herma* na paisagem — uma epifania de Hermes — representa a introdução do princípio diferenciador no vazio pleromático, bem como sua superação.

Espaço da Individuação

Essa função de fazer distinções *per se* é arquetípica e não apenas um artefato do condicionamento e da cultura, embora a cultura tenha muito a ver com o lugar onde as distinções e os marcos são colocados. Na mesma proporção em que um indivíduo consegue separar-se da identidade com a família e a cultura (isto é, afastar-se da *participation mystique* com o ambiente imediato e os condicionamentos), o fator hermético arquetípico tem a possibilidade de atuar de modo mais natural e espontâneo. Em outras palavras, abre-se um espaço para o jogo da psique, e, na mesma medida, o caminho para a imaginação se livrar do confinamento.

Libertando Hermes do ego e de seu condicionamento, e recusando-se a aceitar distinções e limites culturais como absolutos, a pessoa se projeta em um estado de relação com — e mesmo dependência de — poderes arquetípicos que podem fazê-la rever até mesmo suas atividades diárias mais mundanas. Hermes está presente na praça pública, e não apenas em encruzilhadas de lugares ermos; em casa, não só nos portões dos *temenos* sagrados. Significa que todas as atividades e comportamentos podem ser considerados simbólicos, assim como concretos e práticos. Essa é a chave para perceber o sagrado na vida cotidiana.

Com base na análise feita no capítulo anterior, relacionada à individuação e à criatividade, gostaria agora de reintroduzir esse tema e dar um passo adiante. Winnicott estabeleceu uma relação arguta entre espaço transicional e criatividade,[18] e eu o acompanharei nessa linha de raciocínio, associando o espaço hermético da individuação que descrevo neste capítulo com o tópico do instinto da criatividade.

O falo ereto nos monumentos dedicados a Hermes tem intrigado estudiosos e divertido turistas. Burkert diz que um "modo de demarcação territorial, mais antigo que o próprio homem, é a exposição fálica, que depois é substituído de modo simbólico por pedras eretas ou estacas. Sendo assim, montes de pedra e falos apotropaicos sempre andaram lado a lado".[19] Burkert, estudioso diligente do comportamento e da etologia animais, ao escrever sobre os fundamentos biológicos e evolutivos da prática religiosa,[20] relaciona a característica fálica das hermas à exposição fálica de certa espécie de macacos:

> [...] eles se sentam em postos avançados, voltados para o lado externo e expondo seu órgão genital ereto. [...] quem quer que se aproxime vindo de fora perceberá que esse grupo não é constituído de esposas nem de filhos indefesos, mas goza de total proteção da masculinidade.[21]

A ênfase de Burkert no papel protetor de Hermes e no uso de hermas para demonstrar pretensões sobre territorialidade parece forçada, na melhor das hipóteses. Uma coisa é dizer que Hermes encontra-se em fronteiras e define o espaço; outra bem diferente é transformá-lo em guardião. Essa não é sua função. É Cérbero que guarda a entrada do Hades, não Hermes. E para Apolo seria um insulto constatar que um suposto Hermes seria necessário para guardar os portões dos seus recintos sagrados em Delos. Hermes é antes um ladrão, não um guarda. O próprio Burkert o admite: "É surpreendente que um monumento dessa natureza pudesse ser transformado em um deus olimpiano".[22] É a relação de Hermes com a fonte da vida, com o instinto da criatividade, que esclarece a questão. Uma explicação mais apropriada para a presença do falo ereto nos monumentos a Hermes remete à sua profunda associação com o instinto da criatividade.

A criatividade se evidencia em inúmeros contos, sendo destacada por alguns estudiosos como um atributo importante desse deus. Ao lado de Hefesto e Prometeu, Hermes era amado e reverenciado como artesão. A genuína energia efervescente da criatividade ressoa através da imagem de Hermes, como se pode ver na apresentação clássica do hino homérico. No "Hino a Hermes", ficamos sabendo que o bebê recém-nascido, no primeiro dia de vida cria a lira com a carapaça de uma tartaruga. Mais tarde, ele recebe os créditos pela descoberta do fogo, ao esfregar dois gravetos, e pela invenção da flauta. Ao se ler o hino, é contagioso o enorme prazer que ele demonstra diante da própria inventividade, sempre ágil e confiante. A cena relembra a alguns leitores o brilho nos olhos do artesão ao criar um novo dispositivo ou resolver um problema prático.[23]

Depois da disputa vitoriosa com Apolo por uma posição de mesmo nível, conforme descreve o hino homérico — uma representação da ascensão dos artesãos na Grécia antiga e a obtenção da condição de igualdade com a aristocracia de Atenas[24] —, Hermes é igualado nas artes a Apolo, o grande deus da poesia, da música, da dança e de outras atividades artísticas na antiga Grécia. No Hino, Hermes diz ser seguidor de Mnemósine, a deusa da memória, e de suas filhas, as Musas (daí sua presença no famoso quadro *A Primavera*, de Botticelli). Sua associação essencial com o instinto da criatividade é evidente.

Brown também faz uma importante distinção quando diz que Hermes não é primariamente um deus da fertilidade. O falo em sua estátua não é um indício de reprodutividade masculina nem de proeza sexual, como se sugeriu na análise de Burkert. Brown associa o falo a Hermes como mago:

A religião romana identifica a tal ponto o falo com a magia que a palavra *fascinum*, que significa "encantamento", "sortilégio" (cf. "fascinar"), é um dos termos latinos padronizados para o falo; não se poderia encontrar evidência melhor para a pertinência do emblema para Hermes como mago. Quando os artesãos gregos penduravam imagens de demônios itifálicos sobre suas oficinas, é claro que para eles o falo não simbolizava fertilidade, mas habilidade mágica em artesanato.[25]

Concordo com Brown, mas daria destaque à criatividade — o Criativo em si como *fascinosum* — mais do que à magia, embora as duas possam se associar com facilidade. Pessoas criativas costumam parecer especialmente fortes e mágicas, e seus talentos podem ser assombrosos e numinosos.

O falo no monumento de Hermes, portanto, sedimenta essa imagem no instinto — não no instinto sexual em si, porém, mas no instinto da criatividade.

Resumindo o que vim dizendo até aqui sobre o deus grego Hermes: temos em Hermes uma figura que significa união entre uma tendência inata por parte da psique a estabelecer fronteiras e definir espaços (um processo arquetípico) e o instinto da criatividade. É essa combinação específica de fatores que torna Hermes tão interessante do âmbito psicológico. Ele representa o instinto criativo em ação na psique de um modo particular. Sendo um tipo específico de deus criador, ele é o criador de novos espaços. É na criação desses novos espaços, espaços inventivos, em particular espaços psicologicamente sutis, que Hermes revela sua natureza e genialidade especiais. Trapaceiro e mágico são epítetos apropriados, pois em geral esses são espaços secretos de interioridade sutil.

Alguns espaços têm propriedades mágicas e revelam qualidades próprias de Hermes. Eles unem interno e externo de modo surpreendente, como a fita de Möbius. Fronteiras não são o que parecem. Mesmo quando protegidas e mantidas com cuidado, de modo paradoxal incluem dentro e fora. É como se a linha fronteiriça fosse outro espaço, que pode abrir-se a um novo espaço que é permeável a outros espaços. Esse é o espaço de Hermes, um espaço liminar.

Assim também a psique tem fronteiras, mas elas são ambíguas. As fronteiras da psique estendem-se por espaços liminares que mostram o que Jung chamou de "transgressividade".[26] No limite da psique há uma área psicoide, da mesma natureza da psique, mas não limitada à subjetividade; ela está dentro e ao mesmo tempo fora da psique. A noção de psique objetiva de Jung abrange um espaço que está além da costumeira dicotomia sujeito-objeto, dentro-fora, e inclui fenômenos parapsicológicos e sincronicidade.[27] Esse é o espaço da individuação. Ele inclui a realidade interior e também exterior das dimensões consciente e inconsciente. Si-mesmo e mundo participam desse espaço.

Espaço Hermético em Psicoterapia

É de milênios o período que se estende da época em que o deus grego Hermes era venerado como divindade até os tempos atuais. Como padrão arquetípico, entretanto, Hermes continua ativo na psique contemporânea. Na verdade, a psicoterapia existe na criação — e dela depende — de um espaço que podemos chamar de "campo de transformação". Trata-se de um novo espaço no mundo cultural das sociedades modernas, e todavia um espaço que não viola as fronteiras de outros espaços já estabelecidos. É um espaço que se abre no limiar entre público e privado, entre profissional e pessoal. É um espaço que com frequência tem propriedades mágicas que refletem a realidade da psique, no sentido de que sincronicidade e fenômenos parapsicológicos são muitas vezes constelados nesse espaço.

No repertório da terapia há um espaço psíquico independente em si mesmo, mas existindo no mundo social das convenções, das leis e de outras relações. Com respeito ao espaço social circundante, a terapia tem sem dúvida fronteiras bem definidas, cuja violação implica consequências legais e éticas. No espaço, um mundo se abre, ou é criado, pelo campo interativo que contém e aceita as psiques nele existentes. Esse espaço contém dois mundos psíquicos, isto é, duas pessoas com vida plena fora desse espaço. Esse espaço comporta, portanto, um aspecto interno-externo, uma vez que cada pessoa nele tem conexões bastante arraigadas nos mundos fora dele.

O espaço da terapia não pode se tornar o Mundo Primário, o único espaço real ou importante, ou então perderá sua posição no mundo dos limites estabelecidos, o que criaria confusão psíquica e danos, ou mesmo um colapso. Ainda assim, esse espaço deve também insistir na própria legitimidade, no próprio direito à existência, nos próprios direito inato e igualdade com outros mundos já estabelecidos. Na experiência da psicoterapia profunda do século XXI, deparamo-nos com uma reiteração da antiga história do nascimento de Hermes e sua rivalidade com um irmão, Apolo, que já estava estabelecido e reivindicava maior espaço para si mesmo. O novo espaço da psicoterapia é o espaço de Hermes.

A psicoterapia profunda ocupa o espaço de Hermes também em outro sentido: ela conecta o mundo superior da consciência com o mundo subterrâneo do inconsciente, e o faz em várias direções. Na sua conceitualização da relação analítica,[28] Jung indicava um espaço com quatro vetores: 1) consciência a consciência ($\leftrightarrow$, isto é, relação interpessoal horizontal); 2) consciente a inconsciente em ambos os parceiros ($\downarrow$ e $\uparrow$, isto é, relação intrapsíquica vertical em cada pessoa); 3) inconsciente a consciente (/ e \, isto é, relação mútua diagonal de projeção e introjeção); e 4) inconsciente a inconsciente ($\leftrightarrow$, isto é, relação mútua em nível inconsciente na qual ocorrem identificações projetivas e introjetivas). Trata-se de uma relação quadrática. Dos quatro vetores, o quarto é o mais fascinante, pois é esse que representa a conexão do mundo subterrâneo e implica o campo de mutualidade, que desafia as fronteiras habituais de tempo e espaço, interior e exterior, meu e seu. Desse solo emerge uma dinâmica de individuação que definirá a qualidade do campo interativo em cada relação analítica. Assim como as sinalizações de Hermes nas encruzilhadas, a psicoterapia assinala uma dupla encruzilhada, horizontal com relação ao mundo cívico e vertical com relação ao mundo psíquico.

Ofereço um exemplo de como esse espaço se manifesta na prática clínica. Um jovem procurou-me certa ocasião porque estava paralisado em sua vida e com severa depressão. Após várias semanas, ele descreveu um sonho em que estava na cama com uma estrela de cinema bem conhecida, mas um tanto ultrapassada para a época. O sonho continuou e passou a expor alguns de seus conflitos e problemas pessoais com bastante humor e clareza, mas o detalhe extraordinário que observei no sonho foi a identidade da estrela de cinema. Perguntei-lhe a respeito de suas associações com ela, mas ele não tinha nada a dizer, a não ser mencionar o fato de que havia assistido a alguns filmes muitos anos antes. Ele não havia pensado nela conscientemente durante todo esse tempo e mal conseguia lembrar seu nome quando registrou o sonho ao acordar.

O fato estranho e impressionante foi que eu havia visto essa atriz em um restaurante apenas alguns meses antes. Ela é uma das raras atrizes que vi de perto em toda a minha vida. O que esse sonho me disse foi que um campo intersubjetivo inconsciente entre nós havia sido ativado; que esse agora era um espaço hermético. Um campo interativo singular começara a se formar no espaço inconsciente entre nós.

Eu poderia dar vários outros exemplos semelhantes com base em minha experiência clínica e nas práticas de colegas e orientandos que compartilharam suas experiências comigo — exemplos que ilustrariam ainda mais a ativação dessa dimensão. Esse é o elemento misterioso na psicoterapia, e indica um espaço que é isolado ao máximo do mundo por meio de regras de privacidade e confidencialidade, e de mínima automanifestação por parte do terapeuta, sendo no entanto profundamente aberto em outro nível.

A psicoterapia junguiana usa classicamente dois métodos principais para realizar suas operações: análise de sonhos e imaginação ativa. Ambos os métodos invocam a constelação de um espaço hermético porque ambos constroem pontes entre consciente e inconsciente. A imaginação ativa, contudo, é uma atividade realizada de maneira solitária, e não na presença de outras pessoas. Ela se dá no eixo vertical, não no horizontal, e sua função é constelar um espaço psíquico hermético no interior do indivíduo.

Ao falar sobre sua descoberta da imaginação ativa como método para levar a individuação adiante pelo envolvimento do inconsciente no processo, Jung diz que ele entrou nessa geografia psíquica pela primeira vez com muito temor e tremor:

Era como se fosse uma viagem à lua ou uma descida a um grande espaço vazio. Primeiro surgiu a imagem de uma cratera, e tive a sensação de estar na terra dos mortos. A atmosfera era a de outro mundo. Próximo a um íngreme declive rochoso, vislumbrei a presença de duas figuras, a de um idoso de barba branca e a de uma bela jovem. Invoquei toda a minha coragem e me aproximei deles como se fossem pessoas reais, ouvindo com atenção tudo o que me diziam.[29]

Esse é o início da imaginação ativa como técnica para explorar a psique inconsciente. Essa técnica levou à criação de um espaço que Jung deveria ocupar repetidas vezes pelo resto da vida, um espaço hermético em que ele conversava com um mestre e guia chamado Filemon e com centenas de outras figuras.

A imaginação ativa abre um espaço na matriz intrapsíquica que contém uma polaridade — o eu (ego) e o outro (uma imagem arquetípica, caracteristicamente) — e gera uma relação semelhante à fita de Möbius com o mundo objetivo, que é sincrônico. Jung menciona um evento que ocorreu cerca de um ano após a descoberta da imaginação ativa, no qual a psique objetiva foi constelada e fenômenos parapsicológicos e psicoides se ativaram.

Começou com uma inquietação, mas eu não sabia o que era ou o que "eles" queriam de mim. [...] Pelas cinco da tarde de domingo, a campainha da porta da frente tocou com insistência. Era um dia luminoso de verão; as duas empregadas estavam na cozinha, de onde se podia ver o espaço aberto além da casa. Todos logo nos viramos para ver quem estava lá, mas não havia ninguém à vista. Eu estava sentado perto da campainha, e não só a ouvi tocar, como também a vi em movimento. Confusos, apenas ficamos olhando uns para os outros. A atmosfera era carregada. [...] Quanto a mim, todo trêmulo, eu me perguntava: "Pelo amor de Deus, o que significa tudo isso?" Então eles, em uníssono, responderam: "Voltamos de Jerusalém, onde não encontramos o que procurávamos".[30]

Esse é o início do "Septem Sermones ad Mortuos".

Nesse exemplo, podemos ver a interpenetração de fenômenos internos e externos no espaço liminar carregado de eletricidade, um típico espaço hermético de individuação situado entre o mundo diurno de uma calma tarde de domingo no lago Zurique e os espíritos dos mortos que emergem das profundezas da história e do inconsciente, famintos por obter um novo sentido. Esses também são figuras de almas procurando individuação.

Em síntese, o espaço da individuação é então, por um lado, um espaço no qual, por meio de reflexão e diálogo, podem se fazer distinções e ocorrer a separação de identidades, e, por outro, um espaço no qual novas figuras e conteúdos podem aparecer e se oferecer para interação e integração. Esse não é apenas um "espaço interior", uma vez que pode envolver outras pessoas (como na psicoterapia e em outros relacionamentos íntimos) e acolher e interagir com a personalidade delas em níveis consciente e inconsciente; tampouco é exclusivamente um espaço interpessoal de relacionamentos íntimos, uma vez que também possibilita que figuras do inconsciente pessoal e coletivo se façam presentes. A mim parece que os fenômenos associados ao deus grego Hermes abrangem muitas das nuances dessa espécie de espaço psíquico. Ele é, ainda, o deus das transformações.

7

Contribuição para o Processo de Individuação da Tradição

À medida que o cristianismo ingressa em seu terceiro milênio, torna-se cada vez mais evidente que seu núcleo simbólico vem passando por uma transformação profunda. Novas imagens de Deus, com conotações femininas, começam a aparecer, uma linguagem inclusiva de gênero já está sendo usada em algumas orações e uma nova percepção do significado de "Deus age na história" vem emergindo.[1] Questões cruciais persistem, porém. Serão esses símbolos escolhidos por mera arbitrariedade, ou são duradouros e genuínos? Que direção a tradição está tomando? O que toda essa mudança significa de fato? E como uma pessoa preocupada com essa tradição religiosa pode contribuir para seu avanço daqui em diante?

Dedicarei este capítulo à reflexão sobre o modo como podemos ajudar uma tradição religiosa a se individuar. Para tanto, levarei em consideração o pensamento mais recente de Jung e algumas de suas experiências visionárias. Fica muito claro que, nas últimas décadas de sua vida, Jung dedicou-se ativa e incansavelmente à possibilidade de uma evolução continuada da doutrina e da simbologia cristãs. Em nível intelectual, ele se debruçou sobre essas questões em obras como *Aion* e *Resposta a Jó*, mas também as abordou com todo o empenho de maneiras mais diretas e pessoais. Seus próprios processos psíquicos estavam profundamente envolvidos pelo dilema do cristianismo moderno ao testemunhar os conflitos espirituais do pai, um pastor luterano.[2]

Como adulto, a posição que assumiu com relação ao cristianismo foi a do terapeuta diante do paciente,[3] e, como o terapeuta que é profundamente afetado pelo sofrimento do paciente e absorve esse sofrimento para promover a cura,[4] Jung assumiu os conflitos do cristianismo e procurou soluções nas respostas que sua psique lhe retornava. Suas reflexões e experiências podem ser proveitosas para outras pessoas na medida em que estas procuram acompanhar os avanços do cristianismo ao longo deste século XXI.

Uma das contribuições de maior potencial para a consciência contemporânea é a descoberta, ou melhor, a redescoberta científica de que "nenhum homem é uma ilha em si mesmo; todo homem é uma porção do continente, uma parte do todo. [...]", como expressou John Donne no século XVII. O grande valor dessa descoberta está em seu potencial para resolver os problemas de anomia e isolamento sofridos por milhares de pessoas na era moderna. O conceito junguiano de inconsciente coletivo manifesta essa descoberta da interconexão humana. Esse é um elemento importante na percepção crescente em todo o mundo de um potencial emergente para uma consciência global e uma nova forma de espiritualidade que será inteiramente inclusiva.

Para que isso aconteça, cada ser humano pode dar sua contribuição. Articulando o conceito de um inconsciente coletivo, Jung pretende afirmar não só que todos os humanos estão muito interligados, mas também que nenhuma experiência do indivíduo é absolutamente idiossincrática e desvinculada do destino dos demais. O conceito funciona nos dois sentidos: os indivíduos estão ligados ao todo de um grupo ou uma comunidade, e, na verdade, a toda a humanidade, e esse todo é afetado pelo indivíduo.

As experiências interiores profundas de uma pessoa não são meramente pessoais, portanto, mas com frequência têm uma extensão maior de potencial significado. O que se considera uma experiência muito pessoal reflete-se não raro em experiências de vários outros — talvez, até certo grau, em toda a humanidade, embora não costumemos tomar consciência dessas vinculações. O que uma pessoa obtém com a experiência numinosa de uma imagem arquetípica, então, também pode ter um valor mais amplo.

Em termos práticos, é natural que sempre comecemos uma reflexão ou interpretação com base em nós mesmos, com considerações imediatas e pessoais, mas, no caso das imagens arquetípicas, o horizonte de significado não deve se limitar à psicologia pessoal, mesmo quando nos referimos a algo efêmero e aparentemente tão único e idiossincrático como um sonho ou uma visão. As experiências religiosas de um indivíduo podem contribuir para a evolução de imagens doutrinais, e estas exercem, como sabemos, um impacto amplo e profundo sobre a consciência coletiva. No caso de uma religião universal como o cristianismo, esse impacto incide sobre toda a humanidade.

Minhas reflexões aqui se baseiam, portanto, no pressuposto de que as grandes experiências de natureza arquetípica vivenciadas por Jung sejam significativas não somente para ele, mas para todos em geral. Do mesmo modo, o que acontece conosco não é significativo apenas para nós, de modo individual. Pode haver um efeito marola. A comunidade em geral pode se beneficiar e às vezes precisa até ser alertada. Não raro, esses sinais de transcendência,[5] dados ao indivíduo humilde e muito isolado, podem ajudar a comunidade maior a se individuar. A comunidade a que me refiro neste capítulo é a Igreja cristã contemporânea.

Em *Memórias, Sonhos, Reflexões*, Jung afirma que muitos de seus primeiros problemas, dúvidas e conflitos com Deus e a fé cristã tinham origem em sua família e no período histórico da cultura que a envolvia.[6] Ainda jovem, ele já se debatia com problemas espirituais e religiosos que seu pai e seus tios pastores, seis no total, seus professores, a Suíça como um todo e o mundo cultural europeu também enfrentavam. Nada disso acontecera na geração anterior, quando o avô de Jung, o eminente clérigo protestante da Basileia, Samuel Preiswerk, podia acreditar piamente que o idioma do céu era o hebraico e que a Segunda Vinda aconteceria quando os judeus retornassem para a Palestina.[7] O pai de Jung, Paul, pertencia à geração intermediária entre a tradição e a modernidade, uma geração que, na visão do filho, foi esmagada pelo violento conflito entre ciência e religião. No caso do próprio Jung, é evidente que um de seus principais conflitos na juventude era religioso.

Sua famosa fantasia de Deus defecando sobre a catedral da Basileia precisa ser considerada nesse contexto. A história é conhecida. Aos 10 ou 12 anos, certo dia, à saída da escola, Jung pôs-se a contemplar a bela e reluzente catedral da Basileia. No alto da igreja, que era a residência profissional de seu avô, Samuel Preiswerk, ele imaginou ver Deus sentado em seu trono. Naquele momento, tudo parecia correr bem no mundo. De súbito, porém, ele foi tomado por um pressentimento repugnante de que algo terrível estava para acontecer. Como não podia permitir que essa fantasia continuasse, correu para casa, onde, durante três dias, procurou controlar a mente e impedir-se de pensar o impensável. Por fim, desistiu e aguentou a finalização de seu pensamento fantasioso:

Reuni toda a coragem possível, como se estivesse para saltar nas chamas do inferno, e deixei o pensamento fluir. Vi diante de mim a bela catedral e o céu azul. Deus está sentado no seu trono de ouro, elevado acima do mundo, e, da parte de baixo do trono, uma enorme massa de excremento cai sobre o telhado novo e colorido, estilhaça-o e reduz as paredes a escombros.[8]

A finalização da fantasia produziu em Jung alívio e uma sensação de graça. Ele havia chegado ao fim daquele pensamento intolerável e sentiu que o próprio Deus desejara que ele o fizesse. Em outras palavras, ele havia concluído a história arquetípica que mostrava Deus destruindo seu templo.

Muitos críticos especularam sobre os motivos pessoais subjacentes a uma fantasia hostil dessa natureza, e essa não seria uma pista falsa a seguir se meu objetivo fosse o de compreender a dinâmica familiar na fase infantil e adolescente de Jung. Mas essa direção leva também a evitar o aspecto mais importante, ou seja, que essa fantasia reflete a destruição de um repositório religioso tradicional e uma mudança radical na imagem de Deus que, a partir de inúmeras fontes, vem se revelando na reflexão e no pensamento religioso dos tempos modernos. Podemos observar que Nietzsche, também residente na Basileia por algum tempo, na segunda metade do século XIX, declarava mais ou menos no mesmo momento da história que "Deus está morto", querendo dizer com isso que o cristianismo e o mito que o contém haviam sido destruídos.

Com efeito, para homens e mulheres modernos, a estrutura dourada refulgente da crença e da doutrina que por gerações simbolizou uma tradição religiosa e imaculada está dilapidada. O consolo reconfortante da inclusão em uma tradição cristã intacta não está mais disponível, e o Deus que era visto como alguém amoroso governando a história humana se mostra agora perigoso e destrutivo, ou indiferente e negligente.[9] Esse é um indício de mudança na individuação que venho chamando de *separatio*. Ele ocorre quando um indivíduo deixa um porto seguro de inclusão e identidade e também quando uma tradição como o cristianismo entra em uma crise semelhante. O que se segue é um período de liminaridade, um tempo de incerteza e confusão durante o qual novas imagens possíveis emergem do inconsciente coletivo, tendo a capacidade de funcionar como símbolos que levam a uma nova integração.

Ao avançar em idade e começar a pensar sobre assuntos religiosos e teológicos em um nível mais elevado de sofisticação cognitiva, Jung analisou o problema religioso contemporâneo em termos similares, mas menos metafóricos. A pessoa moderna, descobriu ele, está sem um mito. Há um espaço vazio no cerne da psique antes ocupado por uma imagem tradicional de Deus.[10] Os símbolos religiosos tradicionais não efetuam mais a intermediação com os fatores transcendentes como faziam antes; já não estão mais vivos.

A conclusão é que as religiões tradicionais não definem mais a alma dos homens e mulheres modernos. A imaginação religiosa não conseguiu acompanhar as rápidas mudanças na cultura humana durante os séculos passados, fato que criou um cenário contemporâneo em que as pessoas não sabem mais como imaginar Deus. A cultura moderna (isto é, racional, instrumental, centrada no ego) não oferece às pessoas os métodos para reimaginar e reperceber Deus.

Há várias explicações para o modo como essa destruição da atitude religiosa e de sua expressão coletiva no cristianismo veio a ocorrer: a Reforma a arrasou; o Iluminismo a arrasou; a ciência a arrasou. Uma avaliação mais psicológica diz que a consciência apenas a ultrapassou. Um número crítico de seres humanos chegou a um ponto na maturação da consciência que fez as histórias tradicionais relacionadas a Deus, até mesmo as próprias doutrinas mais grandiosas e elevadas, parecerem infantis e em geral ancoradas em medo e dependência. Esse avanço da consciência humana dá sustentação a fenômenos históricos inquestionáveis: reforma religiosa, transformação econômica e social, revolução cognitiva. Considerando a fantasia infantil de Jung, vemos que o próprio Deus arrasou a catedral, destruindo o repositório em que sua imagem havia sido acolhida e cultuada durante séculos. Pensar desse modo é o início de uma nova imagem teológica.

O que acontece quando Deus destrói o próprio repositório e suas imagens? Se, por um lado, esse ato parece catastrófico, por outro também prepara o ambiente para um novo evento religioso. O Deus que antes estava contido com segurança em uma caixa doutrinária já não está mais lá. Em outras palavras, uma projeção de transferência se rompeu. Quando a representação humana do caráter de Deus revela-se como produto da projeção psicológica, Deus deixa de ser prisioneiro da ortodoxia e da tradição. No momento, todas as definições de Deus — como pai, juiz, rei, criador etc. — devem ser abandonadas, e Deus deve ficar livre e sem limites, acima da igreja e do templo, desvinculado de compromissos tribais provincianos e interesseiros.

O estudo e a análise das religiões do mundo, nos moldes de pensadores como Rudolf Otto, Richard Wilhelm e Mircea Eliade, desenvolveram a consciência da fenomenologia religiosa em todo o mundo e desferiram um golpe fatal no comodismo da ortodoxia religiosa de toda sorte. A agora difundida e ainda crescente percepção de que outros povos e tribos também têm religiões genuínas produziu uma profunda lesão narcisista, além de elevar o nível de consciência. Enquanto, com honestidade intelectual e integridade fidedigna, dissermos palavras como "Sim, eles têm práticas religiosas, mas não conhecem o único Deus verdadeiro como nós conhecemos"; "Sim, eles têm certas crenças e superstições, mas elas são falsas ou apenas em parte verdadeiras, como bem sabemos por nossa revelação plena"; "Sim, eles chegaram perto e estão mesmo lutando, mas as pessoas pobres e ignorantes jamais chegarão lá, a menos que as ensinemos a ler a Bíblia", poderemos manter a ilusão de transferência de que Deus é nosso Pai, sem outros filhos além de nós. Em nossos tempos, porém, a consciência alcançou um nível tal que essa forma de tribalismo religioso provinciano não é mais defensável. Ela é hoje considerada, pura e simplesmente, como uma transferência, uma espécie de atitude do avestruz que enterra a cabeça na areia.

Este sonho de um homem moderno ilustra o impacto emocional por chegar a essa percepção:

Estou com minha família, e meu pai enfrenta boatos de que foi casado antes. Ele hesita em responder, mas então assume outro papel e caçoa de todos nós dizendo que não só casou muitas vezes, mas também teve outros filhos e outras famílias. Não podemos acreditar! Estamos chocados. Eu o questiono, mas ele não se parece mais com meu pai. Sinto que nos traiu, levou uma vida secreta, não é de modo algum quem eu pensava que fosse. Estou muito aborrecido, enfurecido, magoado e preocupado com o fato de que outros filhos apareçam para reclamar sua herança quando meu pai morrer. Não quero dividi-la e tenho medo de perder o que é meu por direito.

Embora esse sonho tenha sentido pessoal para quem sonha, ele também vai além da psicologia do sonhador. A fantasia de Jung em que Deus destrói a catedral da Basileia e o sonho desse homem remetem, ambos, a um Deus traidor, de certo modo anormal, inteiramente livre de convenções, e não a uma figura de "bom pai".

A percepção de que a ortodoxia estreita e rígida em religião não é mais honesta nem legítima permeia a cultura e a consciência modernas, e de modo particular em uma sociedade bastante pluralista. Sem dúvida, tais elementos continuam a existir em todas as religiões, e na verdade o fundamentalismo vem recebendo um novo impulso pelo mundo afora à medida que a modernidade cultural se difunde pelo planeta e a globalização ameaça cada vez mais costumes e hábitos tradicionais. Mas os modernos meios de comunicação, disponíveis em quase toda parte, como também articulações sofisticadas de perspectivas religiosas e teológicas divergentes em escolas e bibliotecas, aliadas à constante exposição a estudos e descobertas antropológicas na educação contemporânea, tornam quase impossível manter tais pressupostos sem criar uma grande fissura na psique. A experiência e o pensamento de Jung apontam para uma apreensão de Deus como imagem psicológica, mas uma imagem desvencilhada da projeção anterior. Teólogos como Paul Tillich, que falava de Deus além da imagem de Deus, expressam um ponto de vista semelhante em termos teológicos.[11]

O fracasso moderno de uma transferência positiva para Deus como imagem do Grande Pai patriarcal e o consequente, ou concomitante, conflito psicológico enfrentado por muitas pessoas que procuram manter a fé nas imagens do cristianismo tradicional renderam-se ao que Jung denominou "homem moderno em busca de uma alma".[12] Com a falência desse sistema de crença tradicional, o resultado tem sido a experiência moderna do vazio e da falta de afinidade com o universo. Perdeu-se a sensação de conforto que acompanha a crença de ser favorecido e agraciado por Deus, unido a ele por uma aliança sagrada por meio do sacrifício de seu filho pelos pecados da humanidade, redimida pela fé e pela crença em sua graça redentora.

Hoje há ainda quem nasça e com frequência seja iniciado em uma religião tradicional como o cristianismo ou o judaísmo, mas em geral a pessoa aceita isso como costume ou conveniência, sem levar muito a sério os credos, os ritos e as orações. Inclusive, muitos que ainda se consideram religiosos e respeitam domingos e feriados, realizando atos especiais de piedade, não estão intelectualmente comprometidos com a fé tradicional que observam. Eles entendem que Deus pouco se importa se a pessoa é batista ou budista, e a prática é mantida por costume ou lealdade aos pais, ou ainda por nostalgia.

Essa chamada "pessoa moderna" desenvolveu várias estratégias para satisfazer as necessidades espirituais arraigadas com firmeza, apesar da racionalidade, do secularismo e do Iluminismo. Alguns procuram aqui e ali e acabam considerando satisfatório certo sincretismo Nova Era: um pouco de zen, uma dose de sufismo, um tanto de *I Ching*, de símbolos astrológicos e do Tarô, além de outras tradições discrepantes reunidas em uma receita "personalizada". Um problema com essa opção é que cada um desses caminhos religiosos tem uma longa história, e as tradições que representam contêm sua própria miríade de imagens dogmáticas. Podemos estudar todas essas tradições religiosas com grande proveito, mas, a partir do momento em que a consciência vai além da noção de uma projeção concreta de Deus, não conseguimos aderir a essas práticas com convicção muito profunda. O problema está na crença em si, seja qual for o seu conteúdo. O processo de individuação, ao alcançar um nível de consciência que reconheça a realidade psíquica, não pode ser revertido e voltar à crença concreta em imagens míticas. No máximo, pode aceitar as imagens como símbolos legítimos para povos tradicionais, mas para a pessoa moderna elas são apenas objetos de estudo ou curiosidade.

Outras estratégias para lidar com esse centro vazio tornaram-se bastante disponíveis, sendo também adotadas: um determinado secularismo com uma camada de humanismo compassivo, muito atraente para acadêmicos; várias ideologias políticas, como comunismo e fascismo, embora estejam hoje fora de moda; um fundamentalismo determinado e estrepitoso, que podemos ver em pleno florescimento no mundo nestes tempos; ou a regressão a uma espécie de conservadorismo religioso indolente e plácido, que apenas aguarda o momento de apagar as luzes quando vier o fim.

Não discutirei essas estratégias mais a fundo aqui; em vez disso, abordarei outra questão correlata: existirá talvez uma maneira que possibilite ao cristianismo, como tradição religiosa, transformar seus padrões e atender às exigências da consciência moderna, que não pode mais sustentar a transferência para um Deus que demoliu sua catedral? Poderá haver uma nova síntese (*coniunctio*) que leve a tradição a progredir, em vez de apenas rejeitá-la como antiquada e relíquia de um passado pré-psicológico?

Proponho-me agora a refletir sobre uma visão que Jung teve em um período posterior da vida e que oferece uma alternativa para o cristianismo reunir o presente e o futuro. A vida de Jung foi profundamente orientada pela experiência e pelo pensamento religiosos. No livro *Jung's Treatment of Christianity*, procuro mostrar como e por que Jung era tão fascinado pelo cristianismo. Não acredito que ele fosse um "profeta assombrado"[13] que percorria os caminhos para pregar um novo Evangelho aos cristãos ou às pessoas modernas, mas acredito, sim, que estava pessoal e profundamente envolvido com os problemas enfrentados pelo cristianismo nos tempos modernos. Para ele, esse envolvimento assemelhava-se bastante ao que acontece na psicoterapia quando o terapeuta se envolve com o conteúdo psíquico de um paciente. A psique do terapeuta reage ao sofrimento do paciente e, lendo essa reação (isto é, usando a contratransferência), as próprias reações interiores do terapeuta tornam-se o instrumento para orientar o processo de cura do paciente. Sonhos, fantasias, pensamentos e sentimentos do terapeuta com relação ao paciente, desenvolvendo-se na presença do paciente e na esfera da mutualidade que emerge entre eles, têm um efeito generativo poderoso sobre o processo de cura.

Jung, insisto, estava envolvido nesse tipo de atividade com o cristianismo, que se tornou seu "paciente", e os sonhos e outros produtos inconscientes de seus últimos anos tinham muito a ver com esse paciente. É sob essa luz que quero refletir sobre uma visão significativa que ele teve em 1939, quando estava com seus 65 anos de idade. Ele relata essa visão em *Memórias, Sonhos, Reflexões*:

Em 1939 ministrei um seminário sobre os *Exercícios Espirituais* de Inácio de Loyola. Ao mesmo tempo, ocupava-me com estudos que resultariam no livro *Psicologia e Alquimia*. Uma noite, acordei e vi ao pé da cama a figura de Cristo crucificado, envolta em luz fulgurante. Embora não fosse de tamanho natural, a imagem era bem nítida; e vi que o corpo era feito de ouro esverdeado. Apesar de sua esplêndida beleza, essa visão me abalou profundamente. [...] Nesse período, eu refletia muito sobre a *Anima Christi*, uma das meditações dos *Exercícios Espirituais*. A visão teria ocorrido para me indicar que, em minhas reflexões, eu deixara de perceber alguma coisa: a analogia de Cristo com o *aurum non vulgi* ("ouro não vulgar") e com a *viriditas* ("verdor") dos alquimistas. Quando compreendi que a visão aludia a esses símbolos alquimistas centrais e que se tratava, em essência, de uma visão alquimista de Cristo, senti-me tranquilizado.

O ouro verde é a qualidade viva que os alquimistas percebiam não só no homem, mas também na natureza inorgânica. É uma expressão do espírito da vida, da *anima mundi* ou *filius macrocosmi*, o "Anthropos" que anima todo o cosmos. Esse espírito infundiu-se em todas as coisas, inclusive na matéria inorgânica; ele está presente no metal e na pedra. Assim, minha visão foi uma união da imagem de Cristo com seu análogo na matéria, o *filius macrocosmi*. Se o ouro esverdeado não tivesse me impressionado tanto, talvez eu fosse tentado a presumir que faltava algo essencial à minha compreensão "cristã". [...] O destaque ao metal, porém, revelou-me a manifesta concepção alquimista de Cristo como a união entre o espírito da vida e a matéria física morta.[14]

Meus comentários sobre essa visão convergirão, espero, para um dos aspectos da sugestão para a transformação no cristianismo. O primeiro comentário diz respeito ao próprio Jung. É certo que a consciência de Jung, aos 65 anos, estava bem além dos limites de uma necessidade de transferência de Deus. Posso estar enganado, com certeza, mas acredito ser bastante seguro dizer que, com respeito à necessidade de um objeto de transferência na forma de uma doutrina tribal de Deus, Jung estava além dela. Assim, o que quero ressaltar aqui é a existência de religião e experiência religiosa além das necessidades de transferência pessoais. Esse ponto é importante por causa da visão psicanalítica bastante difundida de que, uma vez que a necessidade de transferência é "analisada" e "esclarecida", a religião perde sua *raison d'être* e se torna insustentável.[15] Ela não pode mais existir, porque a razão psicológica para sua existência foi destruída. Jung discorda, e sustenta que existe algo como um "instinto" para a religião; que religião é, em essência (isto é, em termos arquetípicos), humana, e não baseada em necessidades não resolvidas, infantis, e na compulsão pela repetição. Também não há um possível fim para a vida e a experiência simbólicas, porque o inconsciente é inexaurível. O panorama aqui, portanto, é que a religião ainda é uma opção real para os homens e mulheres modernos, mesmo depois de terem analisado a transferência, superado a necessidade de um "pai no céu" e compreendido o significado psicológico de símbolos religiosos tradicionais.

O segundo aspecto decorre da observação de que em seus anos posteriores, aproximadamente depois dos 65 anos e pela época de suas visões, Jung dedicou-se com intensidade ao estudo e à "terapia", como ele denominava, de sua tradição religiosa. Durante anos ele havia estudado textos de várias das principais religiões do mundo e da maioria de suas ramificações heréticas; tinha examinado o gnosticismo e a alquimia a fundo; havia esquadrinhado obras religiosas distantes como *O Livro Tibetano dos Mortos* e o *I Ching*; tinha visitado o índio americano, o povo elgoni no Quênia, o mouro e o índio do leste; havia estudado antropologia. Agora, nos seus 70, voltava ao cristianismo, onde havia começado, e dedicaria suas duas últimas décadas de vida a esse trabalho. Esse retorno ao que rejeitara antes, à tradição, com o objetivo de permitir à psique ser ativada e responder a ela de uma nova maneira, é um fato importante a se considerar nesta reflexão sobre o valor potencial dessa visão para a transformação do cristianismo. A transformação e maior individuação do cristianismo exigirão que a psique moderna mantenha latentes suas imagens e doutrinas tradicionais, e então que responda a elas com um novo símbolo.

O terceiro ponto pertence à natureza da revelação. As tradições monoteístas fixaram a revelação no passado: "Nosso Pai disse...".

Depois que as palavras de figuras investidas de autoridade foram registradas e codificadas, só coube à tradição resultante acrescentar comentários e esclarecimentos. Podem ser feitas certas extensões e ampliações da doutrina, mas não há novas revelações no mesmo patamar das antigas. Do âmbito da tradição, é evidente, essa salvaguarda se faz necessária, pois do contrário qualquer pessoa poderia falar com a autoridade dos Pais. Cada um tem uma opinião, sonho ou visão diferentes, e a cacofonia de vozes logo se tornaria ensurdecedora. Esse temor de abrir as portas para uma nova revelação é o equivalente coletivo da barreira de repressão na psique individual. E, tal como a análise pessoal faz, o tratamento do cristianismo nas mãos de Jung dissolveria a barreira de repressão e permitiria ao inconsciente falar mais uma vez, como fez primitivamente.

A abertura de Jung à revelação, no entanto, não significa apenas estar pronto para aceitar ao pé da letra cada noção ou imagem que poderia irromper na consciência. Esses conteúdos psíquicos precisam ser interpretados; seu significado não é evidente por si mesmo. E a interpretação é tanto uma habilidade aprendida quanto uma arte. Uma coisa é certa: não pode haver interpretação satisfatória sem certa referência ao passado, à tradição, aos "complexos". No caso da visão do Cristo verde de Jung, vemos que ele primeiro testou sua interpretação em comparação com a própria psicologia pessoal e suas conquistas; em seguida, relacionou a imagem ao que estivera estudando no passado recente e com o que sua consciência estivera se ocupando; por fim, e o mais importante para os nossos objetivos, ele situou sua imagem psíquica, sua revelação, no contexto da tradição de pensamento e doutrina a que ela correspondia de modo mais profundo; sendo mais específico, a tradição cristã e seu hábito crônico de separar o mundo do espírito do mundo da matéria. A imagem psíquica é interpretada como um símbolo de cura para a separação mais central na tradição cristã, a que se dá entre espírito e matéria. Naturalmente, o homem Jung estava tão subordinado a essa separação quanto estamos todos nós que somos herdeiros da mesma tradição espiritual, de modo que o símbolo foi um símbolo de cura específico para ele, mas também para a tradição maior que ele estudava e em meio à qual vivia.

Esses primeiros três pontos estabelecem as credenciais de Jung. Queremos saber mais alguma coisa sobre o sonhador ou visionário que reivindica, e a quem reivindicamos, autoridade reveladora. Jung estava pessoalmente além da necessidade de uma transferência de Deus; encontrava-se genuinamente envolvido com a tradição, tendo retornado a ela depois de um longo período de rejeição; e estava em condições de discernir entre as questões pessoais envolvidas e as questões simbólicas, gerais.

O que dizer, então, do conteúdo real da visão? Seguirei o pensamento e as associações de Jung no contexto da alquimia. O Cristo verde-dourado na cruz ao pé da cama é o símbolo tradicional do cristianismo, mas com uma diferença: ele é uma imagem do *filius philosophorum* dos alquimistas, embora essa figura seja assimilada ao Cristo da tradição cristã ou assume a forma dele. Quem é essa outra figura, o *filius philosophorum*? Ele é o filho da Mãe, da matéria, em contrapartida ao filho do Pai, do espírito. Essa imagem representa a resposta do inconsciente à atitude consciente do consenso cristão.

A tradição cristã expressa-se por meio de valores patriarcais e padrões de pensamento. Isso é simbolizado na Trindade, que exclui a matéria, a terra, o feminino, o ctônico, o escuro, o instintivo e o corpo da doutrina de Deus. O *filius philosophorum*, por outro lado, representa a resposta compensadora da psique ao desenvolvimento patriarcal dos dois últimos milênios. Em sua forma mais frequente, ele é Mercúrio dúplex, um agente bastante problemático, o espírito da terra e do inconsciente, da instintividade e do impulso, da trapaça e do embuste. Esse Mercúrio é precisamente aquele que não será submetido nem amarrado, crucificado, pregado na cruz por amor a todos. Antes, ele é o filho mimado da mãe, o segundo filho, o espírito voluntarioso da mãe rejeitada que não será aplacado ou agrilhoado a estruturas de autoridade. Na iconografia e doutrina cristãs, ele é equiparado ao Diabo.

Era interesse perene dos alquimistas redimir esse espírito, trazê-lo à consciência e mantê-lo ali. Para tanto, era necessário afrontar a proibição que o cristianismo patriarcal havia imposto à matéria, ao corpo, à natureza e ao instinto. Para eles, o corpo e a natureza não eram corruptos nem maus por completo, mas continham uma centelha divina, uma partícula de Deus, e esse valor precisava ser redimido. Tal resgate se manifestaria como ouro, sobre o qual era projetada a semente da substância divina na matéria. Em nível psicológico, Jung se sentia impelido a encontrar o tesouro no inconsciente, sob a repressão da tradição, o que levaria a uma experiência pessoal do Deus interior, a uma revelação do Si-mesmo.

Essa numinosidade interior, a centelha de ouro no reino da matéria e da natureza, aparece na visão de Jung do Cristo verde. Essa visão foi a resposta do inconsciente à incubação xamânica dos problemas do cristianismo efetuada por Jung. O *filius philosophorum*, a criança da natureza, mas na imagem do filho do Pai Celestial, estava, de modo semelhante, sacrificando a si mesma na cruz da plenitude. Esse é um sinal, ou símbolo, da cooperação da natureza, enfim, com a linha de desenvolvimento judeu-cristã: o inconsciente pode ser preparado para acompanhar, se lhe for dado o que lhe é devido.

Para Jung, a visão do Cristo verde simbolizava a cura da separação entre espírito e natureza que havia atormentado sua vida, do mesmo modo que havia angustiado a vida de seu pai e de outros antepassados cristãos. Nessa visão, o espírito da natureza e o filho do Pai Celestial reúnem-se em uma única imagem. Pai e Mãe encontram-se unidos e em cooperação.

Para chegar a esse ponto, porém, Jung precisou suportar as provações da modernidade: a catedral foi demolida; ele havia se decepcionado com as imagens e intelecções tradicionais de Deus; e fora forçado a amadurecer a um ponto além da necessidade de transferência de Deus do cristianismo tradicional. No entanto, ele foi adiante e além, e por isso devemos considerá-lo como pós-moderno. Depois de se abrir para o caos do inconsciente e depois de anos tateando no escuro em busca de um novo centro de existência religiosa, Jung o encontrou. E isso o situa além da aridez da modernidade. Um dos pontos de resolução lhe chegou na figura do Cristo verde, o retorno de uma imagem tradicional, mas com uma diferença essencial: a figura era de ouro esverdeado; era o filho da natureza.

Se atribuirmos à vida de Jung um significado coletivo, devemos agora perguntar: que possível valor terapêutico terá para o cristianismo a solução por ele encontrada para o problema da modernidade? Como a panaceia produzida por esse médico pode ser útil para este paciente, o cristianismo? Como a individuação de Jung pode contribuir para a cura do cristianismo e sua evolução rumo à maior individuação? Com base na suposição de que nenhum homem é uma ilha, penso que podemos pelo menos dizer, com modéstia, que o modo como Jung resolveu o problema da modernidade e da religião tradicional pode sinalizar um possível caminho para outros. Além disso, porém, podemos ver como a tradição cristã em si tem condições de se beneficiar? Se a tradição cristã se dispusesse a ver em Jung um possível curador de suas enfermidades, ela poderia encontrar nele algo que estimulasse um processo de transformação? Permita-me especular e imaginar um pouco.

Se personificarmos o cristianismo e o imaginarmos como um paciente que precisa de cura interior para reparar suas fissuras antigas e preparar-se para a próxima etapa de desenvolvimento, penso que ele sairia do consultório do doutor Jung com uma mensagem muito clara, expressa ou tácita. Essa mensagem seria: abra-se ao inconsciente. Respeite seus sonhos. Deixe que o inconsciente arrase a catedral e lhe mostre uma imagem maior de Deus, porque o seu Deus é muito pequeno e demasiado confinado nos caixotes dos dogmas e do hábito. Reconheça que seu tribalismo tem por fundamento o desejo e a projeção, e é muito distorcido, tendo pouquíssimo ou nada a ver com a realidade. Permita-se considerar todos os outros caminhos para Deus como igualmente válidos e legítimos, e talvez até igualmente tribais e limitados, mas não abandone sua história e não pense que outras tradições possam acudi-lo apenas por ter aprendido algumas ideias novas com elas. Em vez disso, concentre--se nos próprios símbolos e na própria história, e deixe seu inconsciente responder, confiando que o Deus que se revelou no início responderá com símbolos de transformação e renovação. Mas você deve estar preparado para assumir a responsabilidade por essas novas revelações, para testá-las com seus melhores meios de interpretação e discernimento, e não de acordo com o que você já conhece, mas sim consoante com o que sabe ser preciso, embora ainda não o tenha encontrado. E prepare-se para se surpreender. Sobretudo, esteja preparado para deixar que Deus seja ele mesmo em sua plenitude. Esse é um grande risco, mas sua vida depende disso.

8

Individuação e a Política das Nações

Em 17 de maio de 2000, o presidente dos Estados Unidos, Bill Clinton, em discurso em New London, Connecticut, assim se expressou: "A realidade fundamental do nosso tempo é que o advento da globalização e a revolução na tecnologia da informação ampliaram tanto o potencial criativo quanto destrutivo de cada indivíduo, comunidade e nação em nosso planeta".[1] Com essas palavras prescientes, ele apresentou a conjuntura paradoxal dos nossos tempos. Por um lado, poderosas forças de síntese estão em ação na política global; por outro, forças igualmente potentes pressionam no sentido da separação e da diferença. Muitas pessoas veem o movimento para a síntese como destrutivo e maléfico; para outras, destrutivo é o contramovimento em prol da separação. Para a individuação, há muito venho sustentando que ambos os movimentos são necessários.

A pergunta que desejo analisar neste capítulo é a seguinte: o princípio de individuação pode ser aplicado com proveito também ao cenário da política e das relações internacionais? Essa pergunta

165

implica a questão do desenvolvimento da consciência coletiva e da possibilidade de desenvolvimento da consciência de grandes grupos humanos, como nações e culturas, de modo semelhante ao do indivíduo. Podem também nações e comunidades culturais inteiras individuar-se?

Com relação à identidade psicológica, o princípio de individuação significa criação, destruição, recriação eterna — um processo contínuo cujo objetivo distante é a totalidade máxima por meio da expansão crescente da consciência. Esse princípio gera um movimento para a separação e outro para a integração. No fim, o resultado pode ser descrito como um enlace dos opostos na consciência. Será esse um modelo de desenvolvimento que possa ser usado para se compreender a evolução da identidade e da consciência em culturas que constituem nações e mesmo no caso de grupos de nações? Será proveitoso aplicar uma perspectiva psicológica às dinâmicas políticas e econômicas que fundamentam os movimentos da história mundial?[2] Em caso afirmativo, como seria essa análise no mundo de hoje? Essas perguntas motivaram os temas examinados neste capítulo.

Para essa investigação, levarei em consideração o confronto entre a América do Norte e a América do Sul como exemplo da tensão entre forças de separação e de união — tensão essa que leva em si o potencial para a individuação em cada um desses continentes e suas várias culturas. Em geral, podemos supor que, sempre que dois grupos com atitudes diferentes se encontram e se polarizam em torno de certos valores, crenças e percepções definidos, com base em tradições históricas particulares e complexos culturais específicos, daí emergirá um potencial para a individuação cultural que incluirá a dinâmica da *separatio* e da *coniunctio* tal como vista e descrita na psicologia dos indivíduos. No presente caso, existe hoje um encontro de longa data entre duas culturas bem diferentes nos continentes americanos: uma anglo-saxônica e protestante por tradição, a outra latina e católica. São duas placas tectônicas culturais que se aproximam cada vez mais uma da outra.

Primeiro, mencionarei certas semelhanças entre elas. Todas as nações das Américas foram criadas com base em ações empreendidas por povos europeus que, a seu modo, estavam em grande parte inconscientes de seus motivos-sombra e das implicações de suas ações para o futuro. Eles chegaram, invadiram, conquistaram e com frequência saquearam os territórios que os povos atuais de origem basicamente europeia chamam de pátria, lar. Essa é uma herança ancestral compartilhada. Uma sombra de titularidade e agressividade, portanto, está bastante entretecida no tecido de todas as suas identidades originais. Como os habitantes das Américas vivem hoje em terras que foram tomadas de seus ocupantes originais, um elemento de culpa consciente ou inconsciente permeia todas as identidades que reivindicam o título de "americano". Os povos nativos remanescentes, que não tinham como entender o que estava acontecendo com eles, existem hoje como um lembrete desse passado perverso. A negação desse passado equivale à repressão cultural da sombra coletiva.

O período de invasão, colonização e assentamento, depois ampliado por um programa de escravidão das populações locais e de outras oriundas da África, foi concluído em um lapso relativamente curto de tempo. Os desbravadores e colonizadores logo consideraram a terra ocupada como legitimamente sua, e com rapidez se tornaram cidadãos leais e íntegros dessas colônias no Novo Mundo, elas mesmas ainda em sua infância. Dessa mescla de pessoas e forças nasceram as nações que conhecemos hoje.

Por séculos depois de iniciada a colonização, esses habitantes imigrantes das Américas seguiram os ideais e costumes culturais da Europa. No norte, os pontos de referência e orientação culturais estavam na Inglaterra, França e Alemanha; no sul, as pessoas se espelhavam na Espanha, em Portugal, na Itália e na França. Em tempos mais recentes, todavia, as culturas das Américas, tanto a latina como a anglo-saxônica, deixaram em grande parte de acompanhar os modelos sociais e as ideologias políticas da Europa; em vez disso, começaram a criar esses modelos e ideologias por si mesmas e entre si. Em concomitância, o eixo econômico-cultural norte-sul se fortaleceu.

Esse é o ápice de um processo de separação psicológica da pátria-mãe e da invenção de estilos de expressão americanos peculiares por meio das artes, de literatura, culinária, música, filosofia política e teoria econômica. A distinção, pelo menos nesse nível cultural, foi bem alcançada. Como consequência, as várias culturas nas Américas não estão hoje mais no início da formação da identidade. Antes, adentram agora (ou pelo menos já avançaram bastante nesse sentido) um período de crise em que a revisão e reavaliação de conquistas, fracassos e identidades do passado ocupam a consciência. Isso pode muito bem significar que já surge no horizonte um período de liminaridade prolongada e de profunda reestruturação.

Voltando agora à dinâmica entre as duas zonas culturais que estamos examinando, devemos observar que, considerando que os habitantes das Américas tiveram a mesma origem cultural parental básica, isto é, a civilização e a religião europeias, eles são quase irmãos, ou pelo menos primos em primeiro grau, falando em termos coletivos. Estamos aqui diante de uma família extensa com dois ramos. E, como membros de famílias extensas em geral, eles tendem a amar e odiar uns aos outros e a fazer várias comparações hostis sobre os traços de caráter e peculiaridades de um e de outro. Houve e continuam presentes fortes nuances de rivalidade e inveja entre norte e sul. Como parentes envolvidos em um negócio familiar, tendem a confiar um no outro, e na verdade precisam um do outro, mas não só do ponto de vista material. Também se usam mutuamente para propósitos psicológicos, a fim de estabelecer identidade tanto por meio da diferenciação (*separatio*) quanto da identificação (*participation mystique*). Mesmo que reivindiquem identidades separadas, estão ligados cultural e historicamente para o bem ou para o mal. Seus processos de individuação estão entrelaçados.

Diferenças importantes entre eles também são evidentes, e estas se tornam foco das polarizações que ocorrem sem cessar. Do âmbito histórico, esses dois grupos culturais têm percorrido caminhos separados e trilhado jornadas distintas. Na América do Norte, os fundadores míticos foram peregrinos em busca da liberdade religiosa; nas Américas Central e do Sul, as figuras fundadoras foram conquistadores, homens como Cortez e Pizarro, em busca de territórios e riquezas. No norte, os Estados Unidos e o Canadá construíram seus sistemas político e social e, em decorrência, também sua identidade sobre o alicerce de tradições culturais e intelectuais inglesas, holandesas, alemãs e francesas. Os ancestrais eram sobretudo protestantes compenetrados que acreditavam estritamente na Bíblia e seguiam a ética do trabalho com zelo religioso. Vieram para a América em fuga das perseguições religiosas e para começar uma nova vida. Chegaram com a intenção de ocupar a terra e permanecer. O mito deles era a América como a Nova Jerusalém.

As populações das nações latinas do Sul, ao contrário, procederam sobretudo das culturas mediterrâneas da Espanha, de Portugal e da Itália. Sem estarem em fuga de perseguições religiosas, tampouco vindo à América com a intenção de se estabelecer de modo permanente em muitos casos, procuravam juntar riquezas, voltar para a Europa e viver de modo confortável. Eram principalmente católicas romanas, e seu vínculo com a velha pátria era talvez mais íntimo e indissolúvel. Essas populações não se separaram da pátria-mãe do mesmo modo que os imigrantes do Norte. Oficialmente, a identidade das nações sul-americanas permaneceu de vários modos bastante ligada às raízes europeias se comparada à de seus primos do Norte. Além disso, muitas das diferenças entre as culturas do norte da Europa e da região mediterrânea foram transferidas para as Américas, e os conflitos e as projeções mútuas da sombra que havia se formado ao longo de séculos entre as culturas europeias foram retomados e repetidos nas Américas.

Por várias centenas de anos, os povos da América do Norte e do Sul estavam satisfeitos em se felicitar pelas virtudes percebidas e em projetar a sombra no "outro". Hoje em dia, esse tipo de divisão e projeção ingênuas e egoístas tem se tornando impraticável, porque as populações do Norte e do Sul vêm se misturando com muito mais densidade, e a consciência está dissipando as projeções de idealização ou de demonização de imagens motivadas pela fantasia. Devido à globalização, muitas das diferenças históricas e culturais de maior destaque entre as populações do Norte e do Sul também estão desaparecendo com rapidez. À medida que a familiaridade e a similaridade aumentam, torna-se mais difícil projetar o "outro estranho", nos vizinhos.

Poderia se supor que as culturas anglo-saxônica e latina do Norte e do Sul, respectivamente, representam elementos importantes do inconsciente uma para a outra, capturados nas projeções enviadas de cá para lá e vice-versa. A análise da projeção dessas imagens pode de fato levar à individuação, no sentido de produzir mais consciência em cada lado e também estimular ambos os lados rumo à assimilação e integração do conteúdo projetado. Esse movimento, por sua vez, possibilitaria um avanço no sentido de melhores relações e maior totalidade envolvendo os dois lados da divisão.

Para começar, poder-se-ia perguntar: se cada lado se olhasse no espelho da posição do outro, o que veria? Há pelo menos três grandes fontes de ansiedade na atmosfera psíquica entre eles, e cada uma delas tem a ver com o medo de perder uma identidade já estabelecida: a) globalização, b) contraposição apoliniana *versus* dionisíaca e c) migração.

Os efeitos econômicos e culturais da globalização aumentaram a ansiedade quanto à perda de identidade em países tanto da América do Norte como do Sul. Por um lado, a globalização tem sinalizado a pretensão de ser uma força colossal permanente, uma maré que pode "conduzir todos os navios" e aumentar as perspectivas de paz e prosperidade em todo o planeta. Embora prometa melhorar o padrão de vida de todos, porém, ela também parece beneficiar inevitavelmente um pequeno grupo de privilegiados, muito mais do que a vasta maioria dos demais. Ao mesmo tempo, ameaça eliminar características culturais típicas e reconfigurar cada nação à imagem de um gigantesco centro comercial abastecido com os mesmos objetos e repleto de consumidores trajados com idêntica indumentária. A globalização ameaça desencadear uma comercialização desenfreada e dissolver tudo em uma uniformidade universal. Essa é, portanto, uma ameaça à distintividade, objetivo essencial da individuação. Ela parece se opor frontalmente ao princípio de individuação.

Esse é um perigo a que Jung se referia com frequência. A força dos movimentos coletivos pode arruinar os indivíduos com facilidade. A distintividade se perde, e a homogeneidade predomina. Essa perda da alma leva a uma regressão psicológica severa, em que o coletivo engole a identidade da pessoa individual. No mito, essa situação seria representada como a prisão na barriga da baleia ou como a princesa cativa vigiada por um dragão. A mesma catástrofe ameaça hoje grupos e nações. Eles podem ser absorvidos por coletividades maiores e perder sua distintividade cultural. É sinal de saúde psíquica lutarem contra isso.

Por outro lado, a globalização oferece possibilidades de união e integração talvez nunca antes vistas na história da humanidade. O equilíbrio a ser alcançado nesse caso é o que se dá entre a necessidade de preservar a distintividade (*separatio*) cultural e a oportunidade de integrar conteúdos desconhecidos e antes inconscientes (*coniunctio*). Essa é a tensão clássica da individuação. Significaria "um pouco menos de soberania"[3] por parte das nações e renúncia a alguns dos elementos narcisísticos do senso de unicidade, endêmico em toda cultura tradicional, com o objetivo de incluir e integrar alguns novos elementos.

Outro aspecto dessa tensão se refere a tendências arquetípicas opostas arraigadas nas culturas das Américas do Norte e do Sul. Os países latinos parecem sedutora e talvez excessivamente dionisíacos em comparação com os do Norte, muito mais orientados para a sensualidade e o prazer físico do que para as rotinas de trabalho disciplinado e controle emocional comuns da cultura setentrional. O Carnaval do Rio de Janeiro oferece uma exibição fulgurante de tudo o que é assustador para uma consciência anglo-saxônica reprimida — sexualidade flagrante, exposição total da beleza do corpo, música e dança intoxicantes, folia desvairada a noite inteira e cores muito reluzentes.

Além disso, a literatura produzida pelos grandes romancistas e poetas da América Latina evoca um estado mental exótico, estranho e instável nos leitores anglo-saxônicos. A música latina movimenta o corpo de maneiras desconhecidas e imprevisíveis. O espírito dionisíaco de intoxicação e excesso do Sul invadiu o Norte. Essa é uma ameaça de inconsciência lunar à consciência solar estável do Norte. Por outro lado, como acontece com os problemas e as oportunidades que surgem com a globalização, esta oferece também um ensejo dos mais propícios para se integrar o inconsciente e se chegar a uma nova síntese de padrões arquetípicos — síntese que, se realizada de modo consciente, pode levar a maior plenitude. De novo, trata-se de chegar a um equilíbrio entre a necessidade de preservar a distintividade (*separatio*) cultural e a igualmente importante necessidade de construir uma nova síntese (*coniunctio*).

Uma terceira ansiedade e tensão resultam da migração humana em massa que está em andamento nas Américas hoje em dia. Nas últimas décadas, testemunhamos a ocorrência de um dos maiores deslocamentos populacionais na história humana dos países latinos para os Estados Unidos e Canadá. Essa imagem de invasão cultural — correspondente no Sul à invasão da língua inglesa nos negócios e no entretenimento, através de meios como televisão, cinema, *rock-and-roll* e cultura popular anglo-saxônica em todas as suas variedades — cria ansiedade diante da possibilidade de perda dos valores e imagens fundamentais que entraram na formação das identidades dessas diversas culturas. O medo psicológico é uma perda dos limites e da distintividade, um embaçamento dos pontos de referência culturais e um desarranjo de elementos psicológicos que foram separados e diferenciados no decorrer de séculos de vida cultural. O desafio é integrar essas populações de modo a produzir uma síntese de elementos genuína, e não a apropriação de uma pela outra. Esse é um desafio de *coniunctio*.

No atual confronto das culturas anglo-saxônica e latina, por certo há evidências de que há forte constelação de opostos e de que essas atitudes culturais contrárias se desenvolvem com base em projeções de sombra mútuas. Nessa arena, complexos históricos e estruturas culturais arquetípicas envolveram-se em um embate apaixonado, e pode-se supor que a psique se prepara para produzir uma nova mescla de características contraditórias. Já se observa que uma das consequências da globalização em todo o mundo é a aceitação do multiculturalismo como atitude dominante no cenário contemporâneo. Um derivado dele, muitas vezes citado com humor e todavia fundamental, é a necessidade de observar o chamado "politicamente correto" na vida pública.

O "politicamente correto" proíbe tratamento preconceituoso a qualquer indivíduo ou minoria na população geral. Como é evidente, ainda continuam, e na verdade devem permanecer, diferenças entre grupos de pessoas, mas não devem desencadear juízos de valor precipitados. Em vez de hierarquias de valor de cima para baixo, o novo ideal é ter colaboradores e compatriotas lado a lado. Aplicado às diferenças Norte-Sul nas Américas, isso significa que não podemos julgar o Norte como melhor porque está "em cima" ou "mais alto" no mapa, enquanto o Sul está "embaixo" e, portanto, é "inferior". O multiculturalismo desconstrói o mapa. Em vez de um "centro de poder" único, existem agora muitos lugares de influência. O multiculturalismo também transforma "opostos" em "polaridades contrastantes" e, assim, elimina a divisão, e a descarga e projeção da sombra densa no "outro estranho".

A percepção multicultural dá origem a um tipo de consciência que pode transitar em diferentes ambientes e contextos nacionais e sociais, sem julgamentos preconceituosos. Isso não significa que não haja nenhum julgamento, mas antes que os juízos são feitos na base da análise e do exame, e não de projeções do momento.

As Américas hoje, tanto a do Norte como a do Sul, são receptáculos culturais gigantescos para populações de todas as regiões da Terra. Começando com a invasão dos exploradores e colonizadores da Europa, esse movimento continuou com a importação de grandes populações africanas durante os anos de escravidão, a imigração de povos asiáticos durante os anos de expansão e desenvolvimento, e outras migrações e imigrações em massa durante os últimos duzentos anos. As Américas são o único lugar no planeta onde todos os povos do mundo vivem juntos hoje, em grande número, sob bandeiras únicas e assumindo identidades nacionais semelhantes. E o atual confronto e interação entre Norte e Sul nas Américas vêm aumentando a temperatura nesses receptáculos, pressionando o processo de integração a avançar ainda mais.

A consciência necessária que está nascendo nesses continentes colonizados pode ser um arauto do futuro, uma espécie de consciência que será exigida cada vez mais pelo mundo afora. Com ela chega o conceito do ser humano como cidadão do mundo, onde quer que ele por acaso viva ou de onde venha. De modo paradoxal, as forças que vêm motivando os movimentos de massa do coletivismo e da homogeneização estão também produzindo um ambiente global em que o indivíduo pode ser respeitado e estimado de maneira mais adequada. Nesse sentido, surge um novo mundo de oportunidades para a individuação.

Outra característica da consciência que vem emergindo da interação entre Norte e Sul é a percepção aguçada da exploração da natureza e dos povos que habitaram essas terras por milhares de anos, antes que os exploradores e colonizadores europeus chegassem. Como as forças da globalização e da modernização pressionam sempre mais no sentido da ocupação de florestas tropicais e outras regiões despovoadas e não domesticadas, há uma percepção crescente da fragilidade do meio ambiente global e da cruel exploração e eliminação das poucas pessoas que ainda vivem nessas regiões indomadas. A natureza dramática das mudanças que ocorreram no mundo natural em decurso de tempo tão breve na longa história do planeta dá origem a uma pergunta candente: quanto tempo mais essa situação pode ainda continuar sem causar danos irreversíveis ao planeta como um todo?

A descoberta de povos nativos entre nós e a percepção crescente da crise ambiental estão, acredito, levando as culturas das Américas do Norte e do Sul a um vínculo mais profundo com o inconsciente coletivo e com a *anima mundi*. O que emerge agora é uma consciência ecológica que faz ressoar alguns mitos da Grande Mãe.[4] Mas não no sentido de uma regressão cultural a um estado pré-tecnológico de identidade com um mundo radiante, repleto de imagens do paraíso; antes, é um movimento que pode fazer a consciência avançar para a identificação do ser humano como parte da rede que forma uma unidade planetária. A diferenciação (*separatio*) da natureza que foi conquistada ao longo de milênios de desenvolvimento psicológico[5] seria assim suplantada ou, melhor dizendo, levada adiante, por um novo nível de união (*coniunctio*) entre as unidades apartadas da polaridade humano *versus* natureza.

Esse estado de coisas poderia motivar os seres humanos a usar a tecnologia de uma nova maneira. Isso porque a tecnologia, talvez o maior feito da consciência humana, não pode ser abandonada por causa da percepção ecológica. Essa mesma percepção é produto da ciência e de suas técnicas (tecnologia). A ciência é a chave para se tomar consciência do que está acontecendo com a Terra, e a tecnologia, que é a aplicação prática da ciência, pode ser orientada para a criação de soluções em vez de apenas promover crises. Como ferramentas nas mãos de pessoas mais conscientes, a ciência e a tecnologia não são fins, e sim meios, para proteger e sustentar o meio ambiente e para um relacionamento mais saudável e responsável com o planeta.

Como analista junguiano, estou ciente das dúvidas e ansiedades que afligem uma pessoa envolvida em um processo de individuação. Caos aparente e muita incerteza acompanham a jornada psicológica rumo a uma nova integração e a ampliação da consciência. O princípio de individuação aplicado a valores internacionais clama por diálogo entre posições opostas e contrárias, e nesse projeto é certa a presença de dúvidas e períodos de desespero. À medida que uma posição definida e tradicional se relativiza, a identidade cultural se desestabiliza. Nas questões internacionais, não há poder controlador encarregado desse processo, e seu centro é virtual e invisível.

O processo de individuação exige que cada um questione as próprias certezas culturais que valoriza e as convicções sustentadas com devoção. Significa abandonar identificações anteriores e estar aberto à exploração do que é desconhecido e muitas vezes desagradável (*separatio* em nível interior). Deve também haver uma atitude receptiva para com o "outro estranho" e disposição para envolver-se em diálogo com esse elemento estranho (*coniunctio*). Isso requer a integração do elemento estranho em si mesmo — o reprimido, o sombrio, o assustador e o esquecido.

A política baseada no modelo de individuação deve envolver diferenças sem demonizá-las nem julgá-las como más quando são apenas diferentes. Seu objetivo é tanto diferenciação quanto integração, o que significa manter o que já está definido e presente e agregá-lo a elementos diferentes para formar uma nova unidade sob a bandeira de um novo símbolo.

Nesse esforço, a América do Norte e a América do Sul precisam uma da outra. Do jogo dialético entre suas culturas emana um movimento rumo a maior plenitude cultural para ambos os lados.

Notas

INTRODUÇÃO

1. Em *Memories, Dreams, Reflections* — MDR — (Memórias, Sonhos, Reflexões), Jung escreve sobre sua compreensão do significado da consciência quando o intuiu em sua viagem à África: "Lá o significado cósmico da consciência tornou-se absolutamente claro para mim. 'O que a natureza deixa imperfeito, a arte aperfeiçoa', dizem os alquimistas. Eu, homem, em um ato invisível de criação, imprimo a marca da perfeição no mundo, conferindo-lhe existência objetiva" (Nova York: Vintage Books, 1989, pp. 255-56).

CAPÍTULO UM:
O DUPLO MOVIMENTO DA INDIVIDUAÇÃO

1. R. Anderson e K. Cissna, orgs., *The Martin Buber-Carl Rogers Dialogue* (Albany, NY: State University of New York Press, 1997), pp. 103-04.
2. Ver o livro de Buber, *I and Thou* (1923), trad. Ronald Gregor Smith (Londres e Nova York: Continuum, 2004).
3. Neste livro, abordo a individuação apenas em adultos, não em crianças, embora faça referências eventuais a questões de desenvolvimento infantil. Para uma visão junguiana dos

processos de individuação em bebês e crianças, baseada nas pesquisas de Michael Fordham e seus alunos, ver o excelente relato de Elizabeth Urban, "Fordham, Jung and the Self: A Re-examination of Fordham's Contribution to Jung's Conceptualization of the Self", in *Journal of Analytical Psychology 50 (5)*: 571-94.

4. C. G. Jung, *The Psychology of Kundalini Yoga: Notes of the Seminar Given in 1932 by C. G. Jung* (Princeton, NJ: Princeton University Press,1996), p. 91.

5. Esse texto foi incluído como Apêndice na tradução inglesa de *Memories, Dreams, Reflections* (Nova York: Vintage Books, 1989).

6. *The Red Book*, Philemon Series & W.W. Norton & Co, 2009.

7. Jung, *MDR* (*Memories, Dreams, Reflections*), p. 380.

8. Ibid., p. 381.

9. Ibid., p. 382.

10. Jung, "The Structure of the Unconscious" (1916), *in CW* [*Complete Works*], vol. 7 (Princeton, NJ: Princeton University Press, 1967), parágrafos 442-521.

11. Ibid., parágrafos 464-470.

12. Ibid., parágr. 463.

13. S. Shamdasani, Introduction to C. G. Jung, *The Psychology of Kundalini Yoga*, p. 345.

14. Jung, "The Structure of the Unconscious", parágr. 514, grifo meu.

15. In *CW* 6.

16. Ibid., parágr. 757.

17. Ibid., parágr. 741.

18. Ibid.

19. Ver Seminário de Jung, *Nietzsche's* Zarathustra (1934-1939), org. James L. Jarrett (Princeton, NJ: Princeton University Press, 1988).

20. Ver Jung, *Aion* (1951), *CW*, vol. 9ii (Princeton, NJ: Princeton University Press, 1968), Capítulo 3.

21. Jung, *Analytical Psychology: Notes of the Seminar Given in 1925* (1925), org. William McGuire (Princeton, NJ: Princeton University Press, 1989), p. 99.

22. Jung, "The Structure of Unconscious", parágr. 507, grifo meu.

23. Por questão de confidencialidade, o nome é fictício.

24. Jung, "The Structure of Unconscious", parágr. 501, grifo meu.

25. Ibid., parágr. 500.

26. Ibid.

27. Jung, *Mysterium Coniunctionis* (1955-1956), *CW*, vol. 14 (Princeton, NJ: Princeton University Press, 1963), parágr. 129. O grifo é de Jung.

28. Ibid.

29. Jung, *The Relations between the Ego and the Unconscious* (1935), *in CW*, vol. 7, parágr. 505.

30. Ibid.

31. Jung, "The Transcendent Function" (1916), *in CW*, vol. 8 (Princeton, NJ: Princeton University Press, 1969), parágr. 131.

32. Ibid., parágr. 153.

33. Ibid., parágr. 181 ss.

34. Ibid., parágr. 189.

35. Ibid.

36. Ibid., parágr. 190.

37. O termo quer dizer "coincidência significativa" e foi analisado em detalhes pela primeira vez por Jung em sua obra de 1952, "Syncronicity" [Sincronicidade], *in CW*, vol. 8.

CAPÍTULO DOIS:
A FUNÇÃO DA EXPERIÊNCIA NUMINOSA NA INDIVIDUAÇÃO

1. C. G. Jung, *C.G. Jung Letters*, selecionadas e organizadas por Gerhard Adler em colaboração com Aniela Jaffé, vol. 1 (Princeton, NJ: Princeton University Press, 1973), p. 377.

2. Citado por Jung em *Psychology and Religion* (1937), *CW*, vol. 11 (Princeton, NJ: Princeton University Press, 1969), parágr. 9.

3. Ver Capítulo 1, acima.

4. De *numen, inis*, subst. (do verbo latino *nuere*), movimento de cabeça, assentimento. Como expressão da vontade: comando, consentimento. Com relação a uma divindade, vontade divina, ordem divina. Daí o poder de uma divindade, majestade, deidade. *Cassell's New Latin Dictionary*.

5. "Quelques faits d'imagination créatrice subconsciente", *Archives de psychologie* (Genebra), V (1906): 36-51.

6. Jung, *C. G. Jung Letters*, vol. 2, p. 624.

7. *Alcoholics Anonimous*, 3ª ed. (Nova York: Alcoholics Anonimous World Services, 1976), p. 12.

8. Jung, *Memories, Dreams, Reflections* (Nova York: Vintage Books, 1989), p. 199.

9. Ibid.

10. Ibid.

11. In B. Hannah e M.-L. von Franz, *Lectures on Jung's* Aion (Wilmette, IL.: Chiron Publications, 2004), p. 167.

12. Jung, "The Transcendent Function" (1916), *in CW*, vol. 8 (Princeton, NJ: Princeton University Press, 1969).

13. Jung, *Answer to Job* (1952), *in CW*, vol. 11, parágr. 735.

14. P. Berger, "A Signal of Transcendence", *in Facing up to Modernity: Excursions in Society, Politics, and Religion* (Nova York: Basic Books, 1977), p. 212.

15. Ver R. Otto, *Das Heilige* (1917), traduzido para o inglês por John W. Harvey como *The Idea of the Holy* (Oxford: Oxford University Press, 1923/1950), pp. 15-19.

16. Ver, por exemplo, o ensaio de Jung "Brother Klaus" (irmão Klaus) (1933), em *CW*, vol. 11, para um exemplo de proporções quase psicóticas.

17. Jung, *MDR*, p. 151.

18. Ibid.

19. A análise arquetípica que Jung faz da Alemanha dos anos 1930 não valoriza nem justifica, de modo algum, a situação

social e política, como alguns pretendem. Dizer "um deus (p. ex., Wotan) está por trás disso" não torna essa situação boa ou nobre. Relata apenas que ela é dirigida e controlada de modo inconsciente: a consciência não está no comando aqui!

20. Ver Jung, *Two Essays on Analytical Psychology*, *CW*, vol. 7 (Princeton, NJ: Princeton University Press, 1967), parágrafos 221 ss.

21. Otto, *The Idea of the Holy*, pp. 6-7.

22. Ibid., pp. 1-4.

23. Ibid., p. 30.

24. Ver G. Alles, org., *Rudolf Otto: Autobiographical and Social Essays* (Berlim e Nova York: Mouton de Gruyter, 1996), pp. 62-3.

25. "Santo, santo, santo Senhor Deus dos exércitos; o céu e a terra estão cheios da tua glória" — adaptação litúrgica de Isaías 6,3: "Santo, santo, santo é o Senhor dos exércitos; a sua glória enche toda a terra".

26. Alles, *Rudolf Otto*, pp. 80-1.

27. Ibid., pp. 94-5.

28. Ibid., p. 52, n. 44.

29. Jung, *Nietzsche's* Zarathustra (1934-1939), org. James L. Jarrett (Princeton, NJ: Princeton University Press, 1988), p. 1038.

30. Ver Alles, "Toward a Genealogy of the Holy: Rudolf Otto and the Apologetics of Religion" (2002), in *Journal of the American Academy of Religion 69* (2): 323-42.

31. Alles, *Rudolf Otto*, p. 147.

32. Em *Rudolf Otto* (p. 4), Alles cita as lembranças de Paul Tillich: "Durante os três semestres da minha docência [em Marburgo 1924-1925], deparei-me com os primeiros efeitos radicais da teologia neo-ortodoxa sobre os alunos de teologia: problemas culturais foram excluídos do pensamento teológico; teólogos como Schleiermacher, Harnack, Troeltsch, Otto foram rejeitados com desdém; ideias sociais e políticas foram banidas dos debates teológicos".

33. Ver Alles, *Rudolf Otto*, p. 4.

34. Otto, *The Idea of the Holy*, pp. 172-73.

35. [...] diferentemente das diferenças insuperáveis nesse sentido entre Jung e Fr. Victor White, o especialista dominicano em teologia tomista, com quem ele manteve extensos debates entre 1945 e 1955 — ver M. Stein, "The Role of Victor White in C. G. Jung's Writings", The Guild of Pastoral Psychology, Ĝuild Lecture N. 285; também A. Lammers, *In God's Shadow: The Collaboration of Victor White and C. G. Jung* (Nova York: Paulist Press, 1994).

36. Ver Otto, *Mysticism East and West* (Nova York: Collier Books, 1962), e Jung, *Psychology and Religion* (*CW*, vol. 11).

37. Ver H. Hakl, *Der verbogene Geist von Eranos: Unbekannte Begegnungen von Wissenschaft und Esoterik* (Bretten: Scientia Nova, Verlag neue Wissenschaft, 2001), pp. 92-9.

38. Ver Stein, "The Influence of Chinese Thought on Jung's Psychological Theory", in *The Journal of Analytical Psychology 50* (2): 209-22.

39. Ver Alles, "The Science of Religions in a Fascist State: Rudolf Otto and Jacob Wilhelm Hauer during the Third Reich" (2002), in *Religion* 32: 177-204.

40. Ver S. Shamdasani, Introduction to C. G. Jung, *The Psychology of Kundalini Yoga: Notes of the Seminar Given in 1932 by C. G. Jung* (Princeton, NJ: Princeton University Press, 1996), p. xlii.

41. Ver Alles, "Toward a Genealogy of the Holy".

42. Jung, "A Review of the Complex Theory" (1934), in *CW*, vol. 8, parágr. 216.

43. Otto, *The Idea of the Holy*, p. 7.

44. Ibid., p. 177.

CAPÍTULO TRÊS: UM CONTO DE INICIAÇÃO E INDIVIDUAÇÃO PLENA

1. Minha paráfrase baseia-se na tradução de *The Complete Fairy Tales of the Brothers Grimm*, de Jack Zipes (Toronto e Nova York: Bantam Books, 1987), pp. 67-70.
2. Zipes, *The Complete Fairy Tales of the Brothers Grimm*, p. 69.
3. No contexto de suas reflexões sobre o significado do sacrifício na Missa, Jung faz uma interessante e importante distinção entre uma dádiva e um sacrifício:

> Quando [...] dou alguma coisa que é "minha", o que dou é, em essência, um símbolo, algo que comporta inúmeros significados; mas pelo fato de eu ignorar seu caráter simbólico, ele se agarra ao meu ego, porque é parte da minha personalidade. Daí haver sempre um tácito "dá para que mereças receber". Como consequência, a dádiva sempre leva em si uma intenção, pois o simples dar não é um sacrifício. A dádiva só se torna sacrifício se eu renuncio à intenção implícita de receber algo em troca. Para ser um verdadeiro sacrifício, a dádiva deve ser oferecida como se estivesse sendo destruída. Só então é possível renunciar à pretensão egoísta. (C. G. Jung, "Transformation Symbolism in the Mass" (1954), in *CW*, vol. 11 [Princeton, NJ: Princeton University Press, 1969], par. 390.)

Esse é o caráter do sacrifício do nosso herói. O ato de abater o cavalo não é uma dádiva; é um sacrifício em favor dos filhotes de corvo. Um ato dessa natureza é motivado por um centro de autoridade em funcionamento muito além de um ego consciente governado pela matemática do perde/ganha. Trata-se de um ato irracional, uma ação extrema muito distante de cômputos racionais. O que motiva um sacrifício como esse? Mais uma vez Jung:

O que eu sacrifico é a minha pretensão egoísta, e ao fazer isso renuncio a mim mesmo. Todo sacrifício é, portanto, em maior ou menor grau, um autossacrifício. O significado da dádiva é que define até que ponto isso acontece. Se a dádiva é de grande valor para mim e afeta os meus sentimentos mais íntimos, posso estar seguro de que, ao renunciar à minha pretensão egoísta, estarei incitando minha personalidade do ego a revoltar-se. Posso também estar seguro de que o poder que contém essa pretensão, contendo portanto a mim mesmo, deve ser o si-mesmo. Daí ser o si--mesmo o agente que me leva a fazer o sacrifício; não, mais do que isso: ele me impele a fazer o sacrifício. O si-mesmo é o sacrificador, e eu sou a dádiva sacrificada, o sacrifício humano. (Jung, "Transformation Symbolism in the Mass", par. 390.)

O sacrifício nesse caso é também a oferenda sacrificial. O si--mesmo tomou uma decisão que envolve o ego, e o ego, aqui uma vez mais no papel de criado, mas agora em relação a uma exigência interna e não mais a uma autoridade externa, é o sacrificador.

Assim como Buda, Jesus e São Francisco — esses grandes modelos de individuação —, esse herói renuncia à sua herança e se entrega por completo ao espírito imaturo que se desenvolve dentro dele e que necessita de toda a sua atenção e energia. Daí em diante, ele precisa prosseguir com as próprias pernas. Assim, esse extraordinário ato de sacrifício o liberta do último resquício de dependência do seu passado e do apego a esse passado, entregando-o a um futuro inteiramente aberto, livre e desconhecido. Seu espelho está limpo de todas as identidades anteriores.

4. Zipes, *The Complete Fairy Tales of the Brothers Grimm*, p. 69.
5. "Pode-se por certo falar de uma *psicopatologia da individuação*, o que Jung faz com muita clareza (p. ex., ver *CW* 9i, par.

290). Os perigos comuns durante a individuação são a inflação (hipomania), por um lado, e a depressão, por outro. Crises de esquizofrenia também não estão ausentes" (A. Samuels, B. Horter, and F. Plaut, *A Critical Dictionary of Jungian Analysis* [Londres: Routledge & Kegan Paul, 1986], p. 78). Ver também a excelente obra de Mario Jacoby, *Individuation and Narcissism* (Londres e Nova York: Routledge, 1990).

6. Ver o extenso comentário de Jung sobre Nietzsche e Zaratustra em *Nietzsche's Zarathustra* (1934-1939), org. James L. Jarrett (Princeton, NJ: Princeton University Press, 1988).

7. Ver Jung, *Mysterium Coniunctionis* (1955-6), *CW*, vol. 14 (Princeton, NJ: Princeton University Press, 1963), parágr. 439.

8. Jung analisa em detalhes esse nível (e outros) do Si-mesmo em sua obra posterior *Aion* (1951), *CW*, vol. 9i (Princeton, NJ: Princeton University Press, 1968), Capítulo 14.

9. *The Oxford Classical Dictionary.*

10. Gênesis 2,8-9.

11. Ver o ensaio de Jung, "The Philosophical Tree", in *CW*, vol. 13 (Princeton, NJ: Princeton University Press, 1967).

12. Apocalipse 2,7.

13. Apocalipse 22,1-2.

CAPÍTULO QUATRO:
QUEBRA DO ENCANTAMENTO

1. Paráfrase minha, com base em J. Zipes, *The Complete Fairy Tales of the Brothers Grimm* (Toronto e Nova York: Bantam Books, 1987), pp. 67-70.

2. A poetisa Dale Kushner, em comunicação particular.

CAPÍTULO CINCO:
O CONFRONTO COM OS COMPLEXOS — PESSOAIS E CULTURAIS

1. M.-L. von Franz, *Individuation in Fairy Tales* (Zurique: Spring Publications, 1977), p. 180.
2. Ibid.
3. A. Athanassakis, trad., *The Homeric Hymns* (Baltimore e Londres: The Johns Hopkins University Press, 1976), p. 24.
4. R. Lattimore, trad., *The Iliad* (Chicago e Londres: University of Chicago Press, 1951), Book 18: 395-405.
5. D. Kalshed, *The Inner World of Trauma* (Londres e Nova York: Routledge, 1996).
6. Lattimore, *The Iliad*, Book 1: 590-95.
7. Ver abaixo considerações sobre os "instintos verdadeiros".
8. R. Lattimore, trad., *The Odissey* (Nova York: Harper and Row, 1965), Book 8: 306-19.
9. Ibid., 339-42.
10. Ibid., 347-8.
11. C. G. Jung, "Psychological Factors Determining Human Behavior" (1936/1937), in *CW*, vol. 8 (Princeton, NJ: Princeton University Press, 1960), pp. 114-25.
12. Jung, "On the Nature of the Psyche" (1954), in *CW*, vol. 8, pp. 159-234.
13. Lattimore, *The Iliad*, Book 18: 370-74.
14. Ibid., 469-73.
15. Ibid., 593-94.
16. Ibid., 606-07.
17. Ibid., 613-16.

CAPÍTULO SEIS:
UM ESPAÇO PARA A INDIVIDUAÇÃO

1. Michael Fordham, *Children as Individuals* (Nova York: G.P. Putnam's Sons, 1970).

2. Para um exemplo, ver meu livro *In MidLife* (Dallas: Spring Publications, 1984), que considera a jornada de Odisseu (Ulisses) de Troia para casa como padrão para analisar a transição da meia-idade, uma das mais importantes no processo de individuação.

3. Algumas jornadas literais, como a de Jung em safári pela África durante três meses, causam um profundo impacto sobre a psique e assim deixam vestígios de individuação. Como demonstra Blake Burleson com bastante clareza em *Jung in Africa* (Nova York e Londres: Continuum, 2005), essa viagem foi para Jung uma *separatio* importante da cultura europeia e uma *coniunctio* igualmente significativa com a natureza primal.

4. C. G. Jung, *Memories, Dreams, Reflections* (Nova York: Vintage Books, 1989), p. 196.

5. Adoto o conceito de "brincar" como referência deliberada às percepções de D. W. Winnicott expressas em *Playing and Reality* (Nova York: Penguin Books, 1980). O tipo de espaço psicológico que descrevo neste capítulo tem muito em comum com a descrição dos "fenômenos transicionais" de Winnicott.

6. K. Kerényi, *Hermes, Guide of Souls*, 1944, (Woodstock, CT: Spring Publications, 1976/1996).

7. W. H. Roscher, *Ausführliches Lexikon der Griegchischen und Römischen Mythologie* (Leipzig: Teubner Verlag, 1886-1890), pp. 2360 e 2383-8.

8. N. O. Brown, *Hermes the Thief*, 1947, Nova York: Vintage Books, 1969).

9. Jung, "A Study in the Process of Individuation" (1934/1950), in *CW*, vol. 9i (Princeton, NJ: Princeton University Press, 1971), parágr. 538.

10. Brown, *Hermes the Thief*, p. 113.

11. Para descrição e análise extensas dessa figura arquetípica, ver M.-L. von Franz, *Puer Aeternus* (Zurique: Spring Publications, 1970).

12. Brown, *Hermes the Thief*, p. 33.

13. H. G. Liddell e Robert Scott, *Greek-English Lexicon* (Nova York: Follett Publication Co., 1958).

14. M. P. Nilsson, *Greek Folk Religion*, 1940 (Filadélfia: University of Pennsylvania Press, 1978), p. 8.

15. W. Otto, *The Homeric Gods: The Spiritual Significance of Greek Religion*, trad. Moses Hadas (Nova York: Pantheon, 1954).

16. S. Hornblower e A. Spawforth, orgs., *The Oxford Classical Dictionary*, 3ª ed. (Oxford e Nova York: Oxford University Press, 1996), pp. 502-03.

17. Brown, *Hermes the Thief*, p. 113.

18. Ver Winnicott, *Playing and Reality*, Capítulo 1.

19. W. Burkert, *Greek Religion*, trad. John Raffan (Cambridge, MA: Harvard University Press, 1985), p. 156.

20. Ver Burkert, *Creation of the Sacred: Tracks of Biology in Early Religions* (Cambridge, MA e Londres: Harvard University Press, 1996).

21. Burkert, *Structure and History in Greek Mythology and Ritual* (Berkeley: University of California Press, 1979/1982), p. 40.

22. Burkert, *Greek Religion*, p. 156.

23. Brown, *Hermes the Thief*, p. 79.

24. Ibid.

25. Ibid., p. 37.

26. Jung, "Synchronicity: An Acausal Connecting Principle", in *CW*, vol. 8 (Princeton, NJ: Princeton University Press, 1960), par. 964.

27. Para a análise desse tema, ver Von Franz, *Projection and Re-Collection in Jungian Psychology* (LaSalle: IL: Open Court, 1990), Capítulo 9.

28. Ver Jung, "On the Psychology of the Transference" (1946), in *CW*, vol. 16 (Princeton, NJ: Princeton University Press, 1966), par. 422.

29. Jung, *Memories, Dreams, Reflections*, p. 181.

30. Ibid., pp. 190-91.

CAPÍTULO SETE:
CONTRIBUIÇÃO PARA O PROCESSO DE INDIVIDUAÇÃO DA TRADIÇÃO

1. Tenho em mente aqui as reflexões teológicas de pessoas como Langdon Gilkey, Peter Berger e David Tracey.

2. Esses conflitos são descritos com muita intensidade em C. G. Jung, *Memories, Dreams, Reflections* (Nova York: Vintage Books, 1989).

3. Desenvolvo essa tese em meu livro *Jung's Treatment of Christianity* (Wilmette, IL: Chiron Publications, 1985).

4. Denomino essa realidade "contratransferência xamânica" em meu ensaio "Power, Shamanism, and Maieutics in the Countertransference", em *Transference/Countertransference Processes in Analysis* (Wilmette, IL: Chiron Publications, 1984).

5. Expressão de Peter Berger.

6. Jung, *MDR*, p. 90.

7. Para um comentário sobre o significado do papel de Preiswerk no movimento sionista, ver H. Ellenberger, *Beyond the Unconscious* (Princeton, NJ: Princeton University Press, 1993), p. 297.

8. Jung, *MDR*, p. 39.

9. Para uma declaração dramática a esse respeito, levar em consideração a vigorosa peça de Elie Wiesel, *The Trial of God* (Nova York: Random House, 1979).

10. Ver *MDR*, p. 171.

11. Para detalhes sobre esse ponto, ver o excelente estudo de John Dourley, *The Psyche as Sacrament: A Comparative Study of C.*

G. Jung and Paul Tiltich (Toronto, Ontario: Inner City Books, 1981).

12. Esse é o título de uma coleção de trabalhos de Jung publicada em 1933, que contém o ensaio seminal "The Spiritual Problem of Modern Man". Este encontra-se em *CW*, vol. 10 (Princeton, NJ: Princeton University Press, 1964).

13. Ver P. Stern, *C. G. Jung — The Haunted Prophet* (Nova York: G. Braziller, 1976).

14. Jung, *MDR*, pp. 210-11.

15. Wolfgang Giegerich levanta questão semelhante em seu artigo "The End of Meaning and the Birth of Man", *Journal of Jungian Theory and Practice 6* (1), 2004.

CAPÍTULO OITO:
INDIVIDUAÇÃO E A POLÍTICA DAS NAÇÕES

1. *The New York Times*, 18 de maio de 2000, p. A13.

2. Com efeito, é isso o que Jung propôs e realizou em *Aion* (1951), *CW*, 9i (Princeton, NJ: Princeton University Press, 1968), com relação à história do Ocidente ao longo dos dois últimos milênios.

3. Expressão usada por Richard Haas em *The Opportunity* (Nova York: Public Affairs, 2005).

4. Erich Neumann, em seu livro *The Great Mother* (Princeton, NJ: Princeton University Press, 1955), oferece imagens arquetípicas em abundância com relação a esse tópico.

5. Ver a brilhante obra de Erich Neumann, *The Origins and History of Consciousness* (Princeton, NJ: Princeton University Press, 1954), para um relato extenso desse tema.

Referências Bibliográficas

Alcoholics Anonymous. Terceira ed. Nova York: Alcoholics Anonymous World Services, 1976.

Alles, G., org. *Rudolf Otto: Autobiographical and social essays.* Berlim e Nova York: Mouton de Gruyter, 1996.

_____. "Toward a genealogy of the holy: Rudolf Otto and the apologetics of religion." *Journal of the American Academy of Religion 69* (2): 323-342, 2001.

_____. "The science of religions in a facist state: Rudolf Otto and Jacob Wilhelm Hauer during the Third Reich." In *Religion* 32: 177-204, 2002

Anderson, R. e K. Cissna. *The Martin Buber-Carl Rogers dialogue.* Albany, NY: State University of New York Press, 1997.

Athanassakis, Apostolos, trad. *The Homeric Hymns.* Baltimore e Londres: The Johns Hopkins University Press, 1976.

Berger, P. "New York City 1976: A signal of transcendence." *In Facing up to modernity: Excursions in society, politics, and religion.* Nova York: Basic Books, 1977.

Brown, N. O. *Hermes the thief.* Nova York: Vintage Books, 1947/1969.

Buber, M. *I and Thou.* Trad. Ronald Gregor Smith. Londres e Nova York: Continuum, 1923/2004.

Burkert, W. *Structure and history in Greek mythology and ritual.* Berkeley; University of California Press, 1979/1982.

_____. *Greek religion.* Trad. John Raffan. Cambridge, MA: Harvard University Press, 1985.

_____. *Creation of the sacred: Tracks of biology in early religions.* Cambridge, MA e Londres: Harvard University Press, 1996.

Burleson, B. *Jung in Africa.* Nova York e Londres: Continuum, 2005.

Edinger, E. *Anatomy of the psyche: Alchemical symbolism in psychotherapy.* LaSalle, IL: Open Court, 1985.

Ellenberger, H. *Beyond the unconscious.* Princeton, NJ: Princeton University Press, 1993.

Fordham, M. *Children as individuals.* Nova York: G. P. Putnam's Sons, 1970.

Giegerich, W. "The end of meaning and the birth of man." In *Journal of Jungian Theory and Practice 6* (1): 67-83, 2004.

Haas, R. *The opportunity.* Nova York: Public Affairs, 2005.

Hakl, H. *Der verborgene Geist von Eranos: Unbekannte Begegnungen von Wissenschaft und Esoterik.* Bretten: Scienta Nova, Verlag neue Wissenschaft, 2001.

Hillman, J. "Betrayal." In *Loose ends.* Zurique: Spring Publications, 1964/1975.

Holy Bible [Bíblia Sagrada], Nova Versão Revista.

Hornblower, S. e A. Spawforth. *The Oxford classical dictionary.* 3ª ed. Oxford e Nova York: Oxford University Press, 1996.

Jacoby, M. *Individuation and narcissism.* Londres e Nova York: Routledge, 1990.

Jaffé, A. "The creative phases in Jung's life." In *From the life and work of C. G. Jung.* Einsiedeln: Daimon Verlag, 1972/1989.

Jung, C. G. "Waldlungen und Symbole der Libido." Trad. Beatrice M. Hinkle (1916). In *Psychology of the unconscious.* Nova York: Dodd, Mead and Co., 1912/1916.

_____. "Septem sermones ad mortos." In *Memories, Dreams, Reflections*. Nova York: Vintage Books, 1916/1989.

_____. Über das Unbewusste und seine Inhalte, traduzido como "The Structure of the unconscious". In *Collected Works* 7. Princeton, NJ: Princeton University Press, 1916/1967.

_____. Die Transzendente Funktion, traduzido como "The transcendente function". In *Collected Works* 8. Princeton, NJ: Princeton University Press, 1916/1969.

_____. Psychologische Typen, traduzido como "Psychological types". In *Collected Works* 6. Princeton, NJ: Princeton University Press, 1921/1971.

_____. *Analytical Psychology: Notes of the seminar given in 1925*. Org. William McGuire. Princeton, NJ: Princeton University Press, 1925/1989.

_____. "Brother Klaus." In *Collected Works* 11. Princeton, NJ: Princeton University Press, 1933/1969.

_____. "A review of the complex theory." In *Collected Works* 8. Princeton, NJ: Princeton University Press, 1934/1969.

_____. *Nietzsche's* Zarathustra. Org. James L. Jarrett. Princeton, NJ: Princeton University Press, 1934-1939/1988.

_____. "A study in the process of individuation." In *Collected Works* 9i. Princeton, NJ: Princeton University Press, 1934/1950/1971.

_____. 1935/1966. "The relations between the ego and the unconscious." In *Collected Works* 7. Princeton, NJ: Princeton University Press.

_____. "Psychological factors determining human behavior." In *Collected Works* 8. Princeton, NJ: Princeton University Press, 1936/1937/1960.

_____. "Wotan." In *Collected Works* 10. Princeton, NJ: Princeton University Press, 1936/1964.

_____. "Psychology and religion." In *Collected Works* 11. Princeton, NJ: Princeton University Press, 1937/1969.

_____. "The spirit Mercurius." In *Collected Works* 13. Princeton, NJ: Princeton University Press, 1942/1967.

_____. "Psychology and alchemy." In *Collected Works* 12. Princeton, NJ: Princeton University Press, 1944/1970.

_____. "On the nature of the psyche." In *Collected Works* 8. Princeton, NJ: Princeton University Press, 1946/1954/1960.

_____. "On the psychology of the transference." In *Collected Works* 16. Princeton, NJ: Princeton University Press, 1946/1966.

_____. "*Aion.*" In *Collected Works* 9i. Princeton, NJ: Princeton University Press, 1951/1968.

_____. "Synchronicity: An acausal connecting principle." In *Collected Works* 8. Princeton, NJ: Princeton University Press, 1952/1960.

_____. "Answer to Job." In *Collected Works* 11. Princeton, NJ: Princeton University Press, 1952/1969.

_____. "On the nature of the psyche." In *Collected Works* 8. Princeton, NJ: Princeton University Press, 1954/1960.

_____. Das Wandlungssymbol in der Messe, traduzido como "Transformation symbolism in the Mass". In *Collected Works* 11. Princeton, NJ: Princeton University Press, 1954/1969.

_____. "*Mysterium Coniunctionis.*" In *Collected Works* 14. Princeton, NJ: Princeton University Press, 1955-6/1963.

_____. *C. G. Jung Letters.* Selecionadas e organizadas por Gerhard Adler em colaboração com Aniela Jaffé. 2 vols. Princeton, NJ: Princeton University Press, 1973.

_____. *The Red Book.* Org. Sonu Shamdasani, 2009.

Kalshed, D. *The Inner World of Trauma.* Londres e Nova York: Routledge, 1996.

Kerényi, K. *Hermes, guide of the souls.* Woodstock, CT: Spring Publications, 1944/1976/1996.

Knox, J. *Archetype, Attachment, Analysis.* Hove e Nova York: Routledge, 2003.

Lammers, A. *In God's Shadow: The Collaboration of Victor White and C.G. Jung.* Nova York: Paulist Press, 1994.

Lattimore, R. trans. *The Iliad*. Chicago e Londres: University of Chicago Press, 1951.

Lattimore, R. Trad. *The Odissey*. Nova York: Harper and Row, 1965.

Liddell, H. G. e Robert Scott. *Greek-English lexicon*. Nova York: Follett Publishing Co., 1958.

Miller, J. C. *The Transcendente Function*. Albany, Suny Press, 2004.

Neumann, E. *The Origins and History of Consciousness*. Princeton, NJ: Princeton University Press, 1954.

_____. *The Great Mother*. Princeton, NJ: Princeton University Press, 1955.

Nilsson, M. P. *Greek Folk Religion*. Filadélfia: University of Pennsylvania Press, 1940/1978.

Otto, R. *Das Heilige*. Traduzido por John W. Harvey (1923; 2ª ed., 1950) como *The Idea of the Holy*. Oxford; Oxford University Press, 1917.

_____. *Mysticism East and West: A Comparative Analysis of the Nature of Mysticism*. Nova York: Collier Books, 1962.

Otto, W. *The Homeric Gods: The Spiritual Significance of Greek Religion*. Trad. Moses Hadas. Nova York: Pantheon, 1954.

Roscher, W. H. *Ausführliches Lexikon der Griechischen und Römischen Mythologie*. Leipzig: Teubner Verlag, 1886-1890.

Samuels, A., Horter, B. e F. Plaut. *A Critical Dictionary of Jungian Analyusis*. Londres: Routledge and Kegan Paul, 1986.

_____. *The Political Psyche*. Londres e Nova York: Routledge, 1993.

_____. *Politics on the Couch: Citizenship and the Internal Life*. Nova York: Karnac Books, 2001.

Shamdasani, S. Introdução. *The Psychology of Kundalini Yoga: Notes of the Seminar Given in 1932 by C. G. Jung*. Princeton, NJ: Princeton University Press, 1996.

_____. *Jung and the Making of Modern Psychology*. Cambridge: Cambridge University Press, 2004.

Shelley. P. B. *The Complete Works of Shelley*. Boston: Houghton Mifflin, 1901.

Stein, M. *In Midlife*. Dallas: Publications, 1984.

_____. *Jung's Treatment of Christianity*. Wilmette, IL: Chiron Publications, 1985.

_____. *Jung's Map of the Soul*. Chicago: Open Court, 1998.

_____. *Transformation-emergence of the Self*. College Station, TX: Texas A&M University Press, 1998.

_____. "The influence of Chinese thought on Jung's psychological theory." In *The Journal of Analytical Psychology 50* (2): 209-22, 2005.

_____. "The role of Victor White in C. G. Jung's writings. The Guild of Pastoral Psychology, Guild Lecture No. 285, 2005.

_____. "The work of individuation." In *Journal of Jungian Theory and Practice 7* (2), 2005.

Stern, P. *C. G. Jung: The Haunted Prophet*. Nova York: G. Braziller, 1976.

Turner, V. "Betwixt and between." In *Betwixt and between*, organizado por L. Mahdi. LaSalle, IL: Open Court, 1987.

Urban, E. "Fordham, Jung and the self: A re-examination of Fordham's contribution to Jung's conceptualization of the self." *In Journal of Analytical Psychology 50* (5): 571-94, 2005.

Von Fraz, M.-L. "The process of individuation." In *Man and his symbols*. Garden City, NY: Doubleday & Co., 1964.

_____. *Puer aeternus*. Zurique: Spring Publications, 1970.

_____. *Individuation in Fairy Tales*. Zurique: Spring Publications, 1977.

_____. *Projection and Re-collection in Jungian Psychology*. LaSalle, IL: Open Court, 1990.

_____. "Conversations on *Aion* (with Claude Drey)." In *Lectures on Jung's* Aion, por B. Hannah and M.-L. von Franz. Wilmette, IL: Chiron Publications, 2004.

Winnicott, D. W. *Playing and Reality*. Nova York: Penguin Books, 1971/1980.

Wolff. T. "Gedanken zum Individuationsprozess der Frau." In *Studien zu C.G. Jungs Psychologie*, organizado por C.A. Meier. Zurique: Rhein-Verlag, 1959.

Zipes, J., trad. *The Complete Fairy Tales of the Brothers Grimm*. Toronto e Nova York: Bantam Books, 1987.

Índice Remissivo

"A Serpente Branca" (Grimm), 15, 69, 81, 91, 126

"A Apolo" (Homero), 99

"A Estrutura do Inconsciente" (Jung), 24

"A Função Transcendente" (Jung), 36

"A Hermes" (Homero), 130

Adão/Eva, 74

Adler, Alfred, "ficções orientadoras" de, 34

Afrodite, 108, 109, 110, 115

Aion (Jung), 148, 190n2

Alcoólicos Anônimos, 47

Alemanha, 167-68

alma, 14, 37, 131, 171

    ligações com, 55

alquimistas, 19, 158, 161, 162, 177n1

    filius philosophorum dos, 161, 162

    sublimação derivada dos, 50

América do Norte, 166, 176

    como apoliniana, 170

    diferenças com a do Sul, 169

    migração para, 172-73

    perda da identidade, 170

    semelhanças com a do Sul, 167

América do Sul, 166, 176

    como dionisíaca, 170

    diferenças com América do Norte, 169

    migração da cultura anglo para, 173

    perda da identidade, 170

    semelhanças com América do Norte, 167

análise, 160

como processo de afrouxamento, 108

movimento no processo de individuação, 42

relações na, 141

self, 17

como terapia, 140

para psique ferida, 134

pessoas procurando, 43

crescimento continuado na, 31-34

fim da, 34

separação analítica na, 19

imaginação ativa na, 38

anima mundi, 13, 158, 175

anima/animus, 29, 31,

arquetípicos, 82

arquétipos ligados a, 112

como autônomos, 110

da própria heroína, 94

das mulheres, 93

figuras, 44

antropologia, 159

Apolo, 87, 110, 116, 137, 138, 141

Aquiles, 122

escudo de, 122

Ares, 102, 107, 109, 110, 111, 116

Árvore da Vida,73, 85-87

As Bacantes, 107

Associação de Psicologia Analítica, 24

Associação Psicanalítica Internacional, 29

Atena, 99, 100, 105, 116, 121

atividade, 112

atman, 20

Baldwin, James, 11

Basílides de Alexandria, 21

Berger, Peter, 189n1

"sinal de transcendência" de, 52

"Betrayal" (Hillman), 75

Bíblia, 62, 85, 86, 130, 153, 169

biologia, 12

Brando, Marlon, 28

Brown, Norman O., 130, 131, 132, 134, 138-39

Buber, Martin, 17

Relação Eu-Tu de, 18

Bultmann, Rudolf, 62

Burkert, W., 152, 154137, 138

buscas, espirituais, 43

Cáris, 122

Carnaval do Rio, 172

catástrofe, 75

tema de, 73

Cérbero, 137

ciência, 175-76

Clinton, Bill, 165

"coincidência significativa", 179n37

"Comentário sobre *O Segredo
da Flor de Ouro*" (Jung), 37
complexo de Édipo, 100, 104
complexos, pessoais/culturais,
15, 45, 56, 65, 97, 113, 115,
126, 166
aplicação moderna dos,
111-12
como obstáculos, 113-14,
125, 126
das nações, 167
definição de, 104
Édipo, 104
históricos, 172-73
mãe, 105, 108, 111, 116-19,
125
no cristianismo, 159
Comunismo, 156
conflito, 98, 102
"Confronto com o Inconsciente"
(Jung), 29
Conhecimento
impulso para, 74
tema do, 73-76
coniunctio, 19, 79, 83
como contato estável, 112
como natural, 98
como símbolo, 83
conexão espiritual para, 79
das nações, 166
fase da, do herói, 83
integração das invasões,
174

integração do estranho, 176
naturalidade da, 98
nível somático, apoio do rei
para o, 84
no cristianismo, 156
sucesso da, 77
união com a natureza, 202
união com a natureza, 175
consciência, 12, 13, 14, 19, 22,
23, 27, 31, 32-36, 44, 46-47,
50, 52, 55, 56, 64, 81, 83,
98, 113, 126, 134, 153
arquetípica/não pessoal, 13
coletiva, 14, 166
contribuição de Jung para,
127-28
corpo, 78
cristianismo e, 151
de Jung, 158-59
desenvolvimento da, 13, 17-
19, 127
evoluindo em, 16, 166, 175
inconsciente com, 34, 37, 44,
141, 162, 167
integrada, 127
mantendo conexão com, 76-
-80
novo nascimento da, 174
poder sobre, 46-47
projeção/distorção na, 31
contos de fada, 69, 87
contra naturam, 13

contraposição apoliniano *versus* dionisíaco, perda da identidade nacional, 170

"contratransferência xamânica", 189n4

corpo físico, 48

creatura, 21-22

criatividade, 112

Cristianismo, 147
    como paciente, 157, 163
    complexos no, 160
    consciência e, 152
    cura do, 163
    Deus e, 152, 163
    fracassos do, 155
    individuar-se, 74, 98, 110, 116, 147, 166,
    Jung e, 147, 149-50, 151, 155, 157, 158-59, 160-63
    Jung sobre, 147, 162-63
    mitos no, 151-56
    moderno, 153-54
    movimento sintético no, 176
    mulheres no, 147
    Otto, R., sobre, 62
    repressão pelo, 162
    revelações fixas do, 160
    separatio, 151
    símbolos do, 147, 159, 162
    tradições do, 159-60, 164
    transformação do, 159, 163--64

Cronos, 100

culpa, dos americanos, 167

curiosidade, tema da, 73

Das Heilige, 56, 58. *Ver também O Sagrado* (Otto, R.)

Deméter, 115

Depp, Johnny, 28

desenvolvimento, 19, 36, 42, 80, 98
    negativo, 32

desidentificação, 19

Deus, 152-53, 155, 156, 162
    como traidor, 153
    do cristianismo, 163
    plenitude de, 164

Diabo, 162
    diferenças culturais, 22
    entre Norte/Sul, 168, 174

Dioniso, 107-08, 115
    da América do Sul, 173-75

distintividade, 171
    ameaça da globalização à, 154
    como objetivo, 176
    ilusão da, 23

doença, 19

Don Juan DeMarco, 28

Donne, John, 148

ego, 14, 33, 36, 38, 143
    adulto, 119
    complexos e, 66
    consciência, 44, 78, 113, 125

controle preciso do, 38

elo da realidade transpessoal com, 52

em experiências religiosas,49

estrutura ligada ao tempo do, 50

identificação com, 24, 45, 108

inflação, 78

Jung sobre, 35-36

liberdade com relação ao, 136

morte do, 82

testes para, 83

elgoni, tribo africana, 159

Eliade, Mircea, 153

encantamento, 89-96

Eranos *Tagungen*, 64

Erikson, Erik, 23

Eros, 81, 83

Espanha, 167, 169

espiritualidade, 13, 48, 62, 92, 148

desenvolvimento da, 16

elemento numinoso na, 48

individuação *versus*, 55, 64

ligações da vida humana com a,54-55

material *versus*, 162

necessidades modernas da, 155

nova forma de, 148

psicológica, 49

via negativa, 45, 55

Eurínome, 101, 104, 108, 119

experiência numinosa, 15, 65, 87, 149, 162, 180n4

abordagem da, 43

instintos/arquétipos como, 114

integração da, 54

Otto, R., ideia de, 56-67

como prática, 49

como projeção, 49

Jung sobre, 42

para cura psicológica, 42-46

de Jung, 48-49

sombras da, 52-55

vivência da, 42-43, 56

universalidade da, 61

fantasias, 46, 101, 157

fascismo, 156

fenômenos transicionais", 187n5

Filemon, 143

Flournoy, Theodor, 46

fome, 112

Fordham, Michael, 140126

França, 167

Freud, Sigmund, 27, 29, 34, 50, 53, 65-66, 100, 104

Fries, Jakob Friedrich, 58

Froebe-Kapteyn, Olga, 64

fronteiras, 135-36

função transcendente, 36, 37, 38, 50, 56, 81, 82
como "opostos conjugados", 37, 38
fundamentalismo, 154, 156

Giegerich, Wolfgang, 190n15
Gilkey, Langdon, 189n1
globalização, 194-95, 198, 200
perda da identidade nacional, 195-96
gnosticismo, 159
Grande Deusa, 37, 102
Greek Folk Religion (Nilsson), 132
Grimm, Irmãos, 15, 69, 89, 183n1, 185n1

Harvard Tercentenary Conference of Arts and Sciences, 112
Hauer, Wilhelm, 64
Hefesto, 15, 98, 99, 116, 119-20, 138
criatividade de, 121-22
defeito em, 100
identificação com, 99, 116-21
como inteiro, 121-23
Hélio, 117109
Hera
como esposa, 102, 109, 116, 125

como mãe, 102-04
matrimônio sagrado de, 86
raiva de, 101-03
vingança em, 104
Héracles, 85
herança genética/cultural, 11, 12, 13, 14
Hermes the Thief (Brown), 130
Hermes, 15, 110, 116, 129-36, 141
como imagem arquetípica, 131-34, 136
criatividade de, 136-39
definindo espaços, 134-36, 140
espaço de, 141, 142, 143, 144
identificação de, 129-34
herói/heroína, 28, 55-56, 76, 80, 82, 86-87, 89, 91, 183n3
jornada do, 69-73, 81, 94
Hespérides, 85
Héstia, 116
Hillman, James, 75
"Hino Homérico" (Homero), 138
Hiparco, 133-34
historiografia, 13
Homero, 122, 130
Homo religiosus, 67
humanismo, 156

I Ching, 155, 159

identificação, 45, 53, 79, 108, 168, 175

A Ilíada (Homero), 122

como *participation mystique*, 25, 27, 136, 168

consciente, 12

das Américas, 167

de países, 170

do paciente, 34

engolida pelo coletivo, 171

evolução da, 166

formação da, 23

grandiosa, 30

introjeção, 141

Jung sobre, 27

perda da, 135

perda das nações da, 170

projetiva, 141

social, 26

unidade pré-tecnológica *versus* planetária, 175

Iluminismo, 152, 155

imagem psíquica, 160

imagens arquetípicas, 46, 49, 50, 149

base das, 25

como bloqueios, 45-46

como natureza, 115

como padrões de individuação, 97, 98

como perturbadoras, 52

como primordiais, 46

como simbólicas, 49

da Alemanha, 180n19

de cultura, 172

diferenças nas, 170

efeitos poderosos das, 28

emergência das, 19

Hermes como, 131

identificando-se com, 27-30

influência das, 54

ligação da *anima* a, 110

numinosidade relacionada com, 47

possessão pelas, 54

significado das, 149

síntese das, 172

sublimadas, 50

imagens primordiais, 46

imaginação, ativa, 19, 36, 44, 54, 83, 143

como "diálogo interior", 44

de Jung, 143

ego/outro na, 143

na análise, 37

imitação, 24

In MidLife (Stein), 33

inconsciente, 12, 19, 34, 49, 66, 73, 80, 83, 84, 93, 113, 134--35, 159, 162, 163, 164, 167

apegos, 25

assimilação do, 36

base da religião, 51

coletivo, 14, 28, 29, 46, 50, 64, 110-11, 114, 127, 148, 175 como inexaurível, 159

consciência com, 32, 34, 49, 141, 162, 166

explorando, 143

identificações,20

poder destrutivo do, 52

somático, 78, 79, 84

índio americano, 159

individuação, 53, 81, 91, 147. *Ver também* estados de possessão

aplicações religiosas/cultururais da, 14

atitude para com, 135

como conceito psicológico, 12

como força dinâmica, 12-13, 16, 26, 74

como jornada, 15, 81, 127

como princípio, 12

como processo político, 86

da criança, 177n3

das nações, 166

desenvolvida pela pessoa consciente, 13

desenvolvimento espiritual, 15, 42, 45

em contos de fada/mitos, 69

"espaço" para, 126, 134, 139-40, 145

experiência numinosa na, 15, 41, 42, 44, 49, 52-58, 60, 65, 66, 67, 87, 149

fase analítica da, 45

fase sintética da, 15

herói/heroína da, 17, 48-9, 73, 78, 81, 82, 86, 91, 93-4, 96, 207n3

iniciação para,15, 69, 74

Jung sobre, 13, 14, 17-19, 20, 30

Jung *versus* Otto, R., sobre, 63

mártir como oposto à, 54

movimento de análise na,44

negação da, 14

objetivo da, 64, 81-82, 171

padrões na, 97

processo de, 97, 176

psicopatologia da, 184n5

indivíduo

pessoa *versus*, 17-19

todo e, 148-49

instintos, 108, 110, 113, 114, 115

cinco de Jung, 112

como adaptáveis, 113

da criatividade, 136-37, 138

da religião, 158

distorção dos, 114

"modalidades" de, 112

Instituto Federal de Tecnologia Suíço, 65

integração, 88, 166, 170, 176

da consciência, 126

sequências de desintegração e, 126

interlúdio teórico, 112-16

Centro Internacional de Estudo de Psicologia Aplicada, 41

interpretação, 160, 164

Into the Woods (Sondheim), 87

intuição, 77, 93, 95

Isaías, 59, 181n25

Itália, 167

Jahrbuch, 29

James, William, 35

Jardim do Éden, 74, 85, 86

Jesus, 184

Joana d'Arc, 28

Jornadas

do herói/heroína, 69-73, 81, 94

individuação como, xvi, 15, 127

julgamentos, 80-88, 93-96

Jung – O Mapa da Alma (Stein), 13

Jung, C. G., , 12, 13, 17, 24, 26, 27, 31, 34, 36-38, 43, 47, 50, 51, 52-53, 56, 62, 63, 64-65, 81, 87, 104, 114, 127, 130, 140, 143, 148, 158-59, 162, 190n2

análise arquetípica da Alemanha por, 180n19

arquétipos de, 113, 115, 129

consciência de, 158

credenciais da visão de, 161, 162

cristianismo e, 147, 150, 152, 156-57, 159-60

imaginação ativa de, 143

individualidade definida por, 30-31

interpretação de, 160

Otto, R., influência sobre, 63-67

psicologia de, 13, 14, 16, 20, 49, 54

relação analítica de, 141

sobre a "linha da vida", 34

sobre a experiência numinosa, 41, 48, 61, 66-67

sobre dádiva *versus* sacrifício, 183n3

sobre Deus, 155

sobre individuação, 12, 13, 17-19, 20-21, 30

sobre instintos, 115

sobre o *atman*, 20

sobre o cristianismo, 161-63

sobre o ego, 35-36

sobre o significado da consciência, 117n1

sobre os "instintos verdadeiros", 110, 112

V. White, 182n35

Jung, Paul, 150

Jung's Treatment of
Christianity(Stein), 156

Kalff, Dora, 120
Kant, Emanuel, 58
Kerényi, Karl, 130, 133
Kiefer, Anselm, 55
Kushner, Dale, 185n2

Lévy-Bruhl, Lucien, 25
libido, 34, 77, 79, 114
"Liga Religiosa da Humanidade", 62
liminaridade, 33
linha da vida, 34
lumen naturae, 76

mãe, 28, 38, 93, 101, 119, 126, 131, 175
anestésico para o *animus,* 93
complexo, 103, 108, 110-11, 116-19, 125
feridas causadas pela, 116-21
Grande, 22
Hera como, 99-102
Martin, P.W., 41, 42, 48
mártir, 54
materia psíquica (Grande Mãe), 22
meio ambiente, global, 175

Memórias, Sonhos, Reflexões
(Jung), 21, 29, 48, 52, 67, 149, 157, 177n1
visão desde, 157-58
Mercúrio dúplex, 161
metafísico, 52
Métis, 100
migração,
perda da identidade nacional por, 170-71
síntese da, 173
Miller, Frank, 46
mitos, 114, 129, 175
como complexos culturais, 114-15
como símbolos, 51
gregos, 15, 84-85, 98-112, 115, 128
Hefesto, 99-112
importância dos, 113-16
individuação nos, 69
no cristianismo, 151, 155
patriarcais, 103
Mitra, 87
Mnemósine, 138
mouro, 159
movimento analítico, 20-31. *Ver*
também separatio
como desapego, 45-46
de individuação, 44
movimento sintético, 19, 31-39, 165.
Ver também coniunctio

Mulheres, 96. *Ver também* mãe
   no cristianismo, 147
   patriarcal, 100
multiculturalismo, 173
musas, 138
Mysterium Coniunctionis
   (Jung), 37
mysterium tremendum, 55, 57.
   Ver também "o Sagrado",

nações, 165. *Ver também* diferenças culturais; América
   do Norte; América do Sul
   complexos de, 166
   coniunctio de, 166
   globalização e, 170
   individuação das, 166
   migração e, 170
   perda da identidade, 170
   separatio das, 166-76
   tradições das, 166
neurose, 41
Nietzsche, Friedrich, sobre
   Deus, 170151
   como Zaratustra, 16, 8028,
   82
Nilsson, Martin, 132, 133

O Livro Tibetano dos Mortos,
   159
O Livro Vermelho (Jung), 21,
   67

O Sagrado (Otto, R.), 41, 44,
   5655, 57, 58
"o Sagrado", 51, 5557
objetivos do trabalho psicológico, 14
"Ode ao Vento Oeste" (Shelley),
   130
opostos psicológicos, 22
opostos, união dos, 81, 109
origem, 11
Os Deuses da Grécia (Otto, W.),
   133
"os deuses", 47
Otto, Rudolf, 49, 52, 55, 61, 66,
   133, 153
   "ideia do numinoso" de, 56-
   67
   Jung influenciado por, 64-67
   objeções a Jung de, 65
   sobre experiências numino-
   sas/irracionais, 57-61
   sobre o cristianismo, 62-63
Otto, Walter, 133
Oxford Classical Dictionary,
   133

pai, 28, 100, 102, 104, 131
   complexo, 111
Paracelso, 76
parapsicológico, 140, 144
participation mystique, 25, 27,
   136, 168
passado, exame do, 16

patologia, 42, 43. *Ver também*
complexos, universalidade
pessoal/cultural da, 47
Paulo, São, 43
persona psicossocial, 10, 16-
823, 28, 30
persona, 24, 26, 28, 29, 30, 31,
32, 33, 45, 93, 119
personalidades, xi, xiii, xiv, 5,
10, 80116
pessoa, individual, 15, 23, 112
moderna, 155
plenitude, 13, 36, 176
de Deus, 164
de Hefesto, 132-35 121-23
pleroma, 21-23
política, internacional, 165
"politicamente correto", 173
Portugal, 167, 169
Poseidon, 110
possessão, estados de, 15, 56,
89
arquetípica, 54,
Preiswerk, Samuel, 150
no movimento sionista,
189n7
principium individuationis, 12,
21
projeções, 141, 174
inconscientes, 79
mecanismo das, 49
operação defensiva das, 127
sombra, 169-70, 173

tribalismo baseado nas, 185
Prometeu, 138
psicanálise, 45
freudiana, xvi13
relações na,141
Psicologia Analítica, 24, 51
"Psicologia da Religião" (Otto,
R.), 61
Psicologia do Inconsciente
[*Wandlungen und Symbole
der Libido*] (Jung), 46
Psicologia e Alquimia (Jung),
37
psicologia profunda, 12, 127
campo transformador da,
140
psicologia, 13. *Ver também*
Jung, C. G./feminina, 15
psicossocial, 23, 28-30
psicótico, 180n16
psique, 19, 44, 51, 66, 82, 84,
140
função da *anima* na, 110
fundamentos da, 46-47
dentro/fora, 140
instintos/arquétipos sobre,
113
mundo material e, 128
figuras míticas da, 46
feridas para, 117, 119
"Psychological Factors Determining Human Behavior"
(Jung), 112

Quan Yin, 37

racionalização, 53
realidade psicológica, 12
reducionismo, psicológico, 51
reflexão, 112
Reforma Protestante, 75
Reforma, 152
regressão, 156
    cultural, 175
relação analítica, 141-42
relação Eu-Tu, 4 18
religião, base da, 51
    além da transferência pessoal da, 158-59
    ciência *versus*, 150, 152
    conflito da, 47-48
    crenças na, 153
    mundo, 153
    ortodoxia rígida da, 153
    símbolos da,158
    tradições da, 147, 155-56, 159
repressão, 13, 34, 51, 54, 160, 167
    da sombra coletiva, 167
    pelo cristianismo, 161
Resposta a Jó (Jung), 50, 62, 148
revelação, fixa, 159
Rogers, Carl, 17
Roscher, W. H., 129, 131

sacrifício, 76
    dádiva *versus*, 183n3
saúde, 19
Schleiermacher, Friedrich, 58
Schopenhauer, Arthur, 12
self/si-mesmo, 11, 20, 23, 38, 44, 54, 56, 64, 78, 83
    compreensão, 14
    contato com, 82
    lado espiritual do, 79
    natureza/desenvolvimento do, 12
    realização do, 12-15
    revelação do, 162
separação/união, 126
separatio,19
    como distintividade cultural, 171-72
    criando distinções, 22
    da gnose, 81
    das nações, 166-76
    identidade por meio da diferenciação, 168
    lado "sizígia" da, 31
    lado *persona* da, 30
    naturalidade da, 98
    no cristianismo, 151
    no nível interno, 176
    para diferenciação da natureza, 175
    para diferenciação psicológica, 106

Sete Sermões aos Mortos [*SeptemSermones ad Mortuos*] (Jung), 21, 67, 141

Sétimo Congresso de Psicoterapia, 65

sexualidade, 112

Shelley, Percy, 130

símbolos, 83, 87, 92, 159, 160-61

   do cristianismo, 147, 158, 159, 163

   da vida/experiência, 158

   Espírito Santo como, 92

   tarô, 155

sincronicidade, 38-39, 69,92, 95, 98, 128, 140

   curiosidade e, 69

   definição de, 128

sizígia, 29, 31. *Ver também* anima/animus

   divina, 102

   identidades induzidas pela, 33

   imagens da, 31

sociedade patriarcal, ocidental, 98, 104, 105-06, 161

   casamento/divórcio na, 110

   padrões culturais da, 98

solificatio, 86

sombra

   experiência numinosa da, 52

   integração da, 33

projeção da, 170, 174

repressão da/coletiva, 167

Sondheim, Stephen, 87

sonhos, 19, 37, 39, 67, 98, 142, 149, 153

   análise dos, 142

   interpretação dos, 54, 127

Stein, Murray, 12-13, 33, 38-39, 156

sublimação, 49

sufismo, 155

tecnologia, 175

Tétis, 101, 104, 108, 119, 122

The Complete Fairy Tales of the Brothers Grimm (Zipes), 183n1, 185n1

The Trial of God (Wiesel), 189n9

Tifão, 102

Tillich, Paul, 155, 181n32

Tipos Psicológicos (Jung), 27

Tracey, David, 189n1

tradições, 16

   anglo/protestante, 166-67

   das nações, 166

   do cristianismo, 160, 161, 163

   latina/católica, 166-67

   repressão pelas, 162

Transformation –Emergence of the Self (Stein),39

transgressividade, 140

transição, meia-idade, 187n2

Trindade, 161

união/separação, 126, 166

Urano, 100

varões, desenvolvimento psicológico dos, 106

"Velha do Bosque (A)", 15, 89, 126

Von Franz, M.-L.,50, 97, 114

Wenders, Wim, 55

Wheelwright, Joseph, 25

White, Victor, 182n35

Wiesel, Elie, 189n9

Wilhelm, Richard, 64, 153

Wilson, William, 47

Winnicott, D.W., 136, 187n5

Wotan, 54

Zaratustra, Nietzsche como, 28, 82

zen-budismo, 55, 155

Zeus, 85, 99, 100, 102, 103, 108-110, 129, 131

Zipes, Jack,183n1, 185n1

GRUPO EDITORIAL PENSAMENTO

O Grupo Editorial Pensamento é formado por quatro selos:
Pensamento, Cultrix, Seoman e Jangada.

Para saber mais sobre os títulos e autores do Grupo
visite o site: www.grupopensamento.com.br

Acompanhe também nossas redes sociais e fique por dentro dos próximos lançamentos, conteúdos exclusivos, eventos, promoções e sorteios.

editoracultrix
editorajangada
editoraseoman
grupoeditorialpensamento

Em caso de dúvidas, estamos prontos para ajudar:
atendimento@grupopensamento.com.br